KB104095

어두운 이면

어두운 이면

발 행 | 2024년 07월 05일
저 자 | 김시환
펴낸이 | 한건희
펴낸곳 | 주식회사 부크크
출판사등록 | 2014.07.15.(제2014-16호)
주 소 | 서울특별시 금천구 가산디지털1로 119 SK트윈타워 A동 305호
전 화 | 1670-8316
이메일 | info@bookk.co.kr

ISBN | 979-11-410-9318-1

www.bookk.co.kr
ⓒ 김시환 2024
본 책은 저작자의 지적 재산으로서 무단 전재와 복제를 금합니다.

어두운 이면

김시환 지음

<작가 약력>

제1회 현대시문학 커피 문학상 은상 수상
제2회 현대시문학 커피 문학상 금상 수상
제2회 현대시문학 디카시 문학상 은상 수상
제3회 현대시문학 커피 문학상 은상 수상
제3회 사회정의실현 시 창작 공모전 장려상 수상
제4회 현대시문학 커피 문학상 동상 수상
제5회 현대시문학 커피 문학상 은상 수상
제5회 현대시문학 삼행시 문학상 동상 수상
제5회 현대시문학 디카시 문학상 동상 수상
제5회 사회정의실현 시 창작 공모전 장려상 수상
제7회 일상 속의 장애인 스토리텔링 공모전 입선
제9회 현대시문학 삼행시 문학상 금상 수상
제9회 현대시문학 삼행시 문학상 은상 수상
제9회 현대시문학 삼행시 문학상 동상 수상
제10회 현대시문학 삼행시 문학상 동상 수상
제11회 현대시문학 삼행시 문학상 동상 수상
제12회 반기문 전국 백일장 시 부문 장려상 수상
제13회 한반도문학 신인문학상 시 부문 당선
제27회 온라인 대덕 백일장 산문 부문 장려상 수상
제38회 한밭 전국 백일장 산문 부문 장려상 수상
제48회 열린동해문학 신인문학상 시 부문 당선
제49회 열린동해문학 신인문학상 수필 부문 당선
제50회 열린동해문학 신인문학상 소설 부문 당선
제54회 한민족 통일문화제전 민통의장상 수상
제59회 열린동해문학 신인문학상 평론 부문 당선
제60회 열린동해문학 신인문학상 수기 부문 당선

第64회 열린동해문학 신인문학상 시조 부문 당선
第65회 열린동해문학 신인문학상 글짓기 부문 당선
第65회 열린동해문학 신인문학상 동시 부문 당선
시집 <어두운 이면> 출간
시집 <기억의 저편> 출간

악의의 꽃

가장 어두운 곳에서 악의의 꽃은 홀로 피어났다.
가장 순수한 악의를 품은 꽃은 고독히 존재한다.
오직 인간의, 인간에 의한, 인간을 향한 악의여.
그 무엇보다 순수한 악의의 꽃이 고개를 내민다.
악의의 꽃이 피었다. 악의의 꽃이 이곳에 있다.

가장 순수한 어린아이의 그 잔혹함을 닮은 악의.
가장 깨끗해야 할 종교인의 더러움을 닮은 악의.
가장 아름다운 신부의 숨겨진 비밀을 닮은 악의.
모든 악감정보다 가장 순수한 악의여. 그 꽃은
깊고 짙은 어둠 속에서 홀로 피어나 고독하다.

자, 보라. 가장 순수한 악의으로 피어난 꽃이여.
가장 순수한 악의를 품은 꽃은 세상에 존재한다.
악의의 꽃은 잔혹한 향기를 품어 홀로 고독하다.
이 꽃을 보고 불쾌한 표정을 짓는 그대를 보라.
그대 안에 존재하는 그 악의는 바로 이 꽃이니.

세상에서 가장 순수한 악의를 품은 꽃이 피었다.
그 무엇보다 순수해서 잔혹한 악의의 꽃이 피어
세상 곳곳에 뿌리를 내린다. 잔혹하고도 순수한
악의의 꽃은 꽃으로도 때리지 말라는 한 마디에
가장 적합한 꽃이 되어 고독의 향을 자아낸다.

어릿광대

달빛 비추는 무대 위에서 어릿광대는 춤을 추네.
관중을 웃기는 것이 어릿광대의 숙명이. 오늘도
어릿광대는 우스꽝스럽게 춤추고 노래하고 있어.
사람들의 폭소에 어릿광대는 더 신나게 연기해.
그러나 어릿광대는 끝내 슬픔을 감추지 못하네.

어릿광대는 자조 섞인 미소로 저 달빛을 바라봐.
이 무대의 주인공을 위해서 더욱 우스꽝스럽게
연기하는 어릿광대는 슬픈 눈빛으로 연기하네.
관중을 웃기는 게 광대의 숙명. 연기를 펼쳐.
아무리 슬퍼도 웃으며 웃겨야 하는 숙명이니.

칼날처럼 스치는 누군가의 비아냥거림. 고개를
돌리자 아이에게 너는 저렇게 살지는 말라면서
실컷 웃고 떠드는 아주머니의 목소리가 선명해.
어릿광대는 그 비수 같은 말에도 끝내 웃지만
자조 섞인 표정으로 씁쓸함을 감추지 못하지.

이윽고 무대에 오르는 오늘의 주인공. 관중은
모두가 환호하고 어릿광대는 쓸쓸히 떠나가네.
그런 그를 응원하는 이는 그 어디에도 없어.
몹시 지친 그의 표정을 누구 하나 알지 못해.
어릿광대. 오늘도 그는 힘겹게 하루를 살았어.

인간의 악의

인간의 악의는 태초부터 존재했다. 그 무엇보다 강렬한
악의를 품은 마음은 가장 순수해서 더욱 어둡게 빛난다.
인간의 악의는 끝이 존재하지 않는다. 무엇보다 어두운
악의는 오직 인간에 의해서 인간을 향하는 악감정이다.
자, 보라. 악의를 품은 인간의 독기 어린 저 시선을.

증오를 품은 인간의 악의는 질기도 강한 생명을 품는다.
분노와 원망을 품은 악의는 무엇보다 강한 힘을 갖는다.
슬픔과 괴로움이 섞인 악의는 가장 오래도록 홀로 남아
삶이 존재하는 동안 함께하리라. 인간의 악의를 보라.
가장 순수하기에 더욱 어두운 인간의 악의를 보아라.

오직 인간만이 품는 악의의 꽃이 마음속에서 피어났다.
오직 인간만이 가지는 악의는 가장 순수하고 강렬하다.
자기 자신마저 죽이려는 악의는 가장 아름다운 것이다.
인간의 본질은 악의로서 존재하는 것이니 강렬하더라.
본질적으로 이기적인 인간의 악의는 가장 순수하다.

자, 보라. 악의를 품은 인간의 본심을. 그 무엇보다도
순수하고 강렬한 악의는 세상 모든 것을 죽일 것이다.
스스로를 파괴하는 인간의 악의는 무엇보다 순수하다.
인간의, 인간에 의한, 인간을 향한 인간의 악의에는
가장 강한 파괴가 남아 스스로를 죽이는 악감정이다.

메마른 사막

메마른 사막을 혼자 있는 듯해. 내가 살아가는 삶은.
메마른 사막에 혼자 걷는 듯해. 내가 걸어가는 길은.
언제나 함께하는 것은 혼자라는 단어. 내 삶은 마치
메마른 사막을 홀로 걸어가는 여행자와 같은 듯해서
그 누구도 곁에 두고 싶지 않아. 정말로 나는 그래.

내 삶은 마치 메마른 사막 같아. 언제나 혼자였기에
외로움은 익숙해. 그 누구도 가까이 하고 싶진 않아.
지금의 나는 메마른 사막을 홀로 걷는 여행자 같아.
마음 둘 곳이 없어 정처없이 떠도는 사막 여행자가
끝내 그 여행을 마치지 못하는 것처럼 정말로 그래.

나는 메마른 사막에 혼자 남겨진 것 같아. 외로움은
이미 오래전부터 친숙했고 늘 혼자 있는 것만 같아.
아무도 반길 이 없는 외로운 삶을 혼자서 살아가는
사막 여행자처럼 메마른 사막을 걸어가는 것 같아.
마음의 문을 닫고 홀로 아무도 없는 길을 걸어가네.

메마른 사막. 드문드문 피어난 풀. 그 누구도 없는
지독히도 고독한 메마른 사막을 여행하는 존재처럼
나는 늘 고독해. 외로움은 나의 유일한 안식처처럼
곁에서 떠나지 않겠지. 나는 메마른 사막의 존재.
나는 메마른 사막을 홀로 여행하는 사람일 뿐이지.

고독한 밤

지독히도 어두컴컴한 밤하늘. 라디오를 청취하는 밤중.
지독히도 고독한 밤에 익숙한 디제이의 목소리를 들어.
여느 때와 같은 하루의 끝에서 또 다시 고독이 찾아와.
습관적으로 피우는 담배 연기에 가슴은 축 가라앉네.
익숙하다 못해 친숙한 고독에 젖어 외로워지는 밤이야.

줄곧 혼자였지. 돌이켜보면 누구와도 어울리지 못했어.
삶을 돌아보자면 항상 외톨이 처지. 고독이란 감정이
나의 유일한 친구라면 친구. 이제는 혼자가 익숙해서
그 누구도와도 가까워지고 싶지는 않아. 그냥 그래.
고독한 밤. 오늘 밤도 이렇게 홀로 잠을 청해야지.

고독하다고 해서 혼자라는 게 싫은 건 아냐. 익숙해.
항상 혼자였기에 익숙한 고독에 젖지만 나는 괜찮아.
고독한 밤. 라디오를 청취하며 시를 쓰는 오늘 밤도
홀로 잠을 청해야겠지. 하지만 괜찮아. 이제는 그래.
그 누구와도 어울리지 않는 언제나 외톨이였으니까.

라디오를 청취하며 손이 닿는 대로 쓰는 시. 고독해.
마음속에 오랫동안 존재하는 고독은 내 삶의 일부니
더 이상 신경 쓰지 않아. 이미 내 일부나 다름없는
고독을 멀리하고 싶지는 않아. 그냥 이렇게 살아가.
더 이상 무슨 말이 필요하겠어? 그냥 살아가는 거지.

혼자

언제나 혼자였지. 지나간 세월을 돌아보면 늘 그랬어.
언제나 혼자였지. 여전히 혼자 살아가는 나는 그렇지.
외로움이 유일한 친구가 된 나는 이렇게 혼자서 살아.
어느 순간부터 혼자라는 것이 친숙한 내 곁에 아무도
없다는 사실은 새삼스럽지도 않아. 그냥 그럴 뿐이지.

항상 혼자였지. 그래서 더욱 친숙한 외롭다는 단어는
그저 평범한 감정일 뿐이야. 혼자라서 외롭다는 말은
당신을 괴롭게 만들겠지만 내게는 해당되지는 않거든.
이미 오래되어 익숙한 혼자라는 단어가 훨씬 친숙해.
외로움을 친구 삼아 지내는 나는 언제나 혼자였어.

타인의 관심을 받고 싶지 않아. 혼자라서 더 평온한
내게 관심은 철저히 무의미하고 불필요한 것에 속해.
나는 혼자야. 외로움을 친구 삼아 살아가는 나에게
고독은 당연하고도 친숙한 감정. 그렇게 살아가는
내 삶을 불행하다고 판단한다면 그것은 오만이지.

항상 혼자였기에 익숙한 외로움은 내 삶의 친구거든.
동정 어린 시선은 집어치워. 그것은 무의미한 거야.
여전히 혼자인 것이 친숙한 내게 다가오지 않았으면.
종종 나를 불쌍히 여기는 이를 만날 때면 불쾌해져.
인간은 결국 혼자서 삶을 살아가는 것이니 더욱이.

외로움

어둑어둑한 밤하늘. 외로움을 마주하자 비로소 보이는
내 마음은 혼자라서 더욱 평온한데 무엇이 필요할까?
내게 외로움이란 당연해. 언제나 혼자였기에 외로움은
줄곧 친구처럼 함께였고 이런 내게 외로움은 당연해.
인간은 누구나 외로워. 단지 그것에 익숙할 뿐이야.

어두운 밤중에 라디오를 들으면서 쓰는 몇 편의 시는
마냥 외로워서 그러는 게 아니야. 인간은 외로움과는
멀어질 수 없는 관계라는 것을 알기에 그저 무덤덤해.
혼자라서 자유로운 내 마음은 이미 외로움이 친숙해.
이런 내가 외로워 보인다고 동정하지 않았으면 해.

인간은 원래 외로워. 산다는 건 외로움의 연속이니까.
가족도 친구도 언젠가는 멀어지고 혼자 남겨지는 게
당연한 것이 인생이니 나의 외로움은 친숙한 단어지.
어두운 밤하늘. 이 밤중에 쓰는 몇 편의 시를 통해
나는 외로움과 마주하며 오직 이 순간에 집중할래.

혼자라는 것은 나쁜 게 아니야. 외로움은 죄가 아냐.
그저 혼자이기에 혼자인 내게 외로움은 당연한 감정.
오늘 밤은 외로이 몇 편의 시를 쓰며 잠을 청해야지.
무명의 시인은 외로움과 함께하며 몇 편의 시를 써.
사람은 외로움과 직면할 때 하고 싶은 것을 즐기네.

혼자

어차피 세상은 혼자 사는 거야. 관계는 형식적일 뿐이지.
애써 친한 척. 웃으며 친근하게 대하지만 알지 못하겠어.
오래된 친구의 절대 알 수 없는 속내. 나 또한 마찬가지.
뜨거운 블랙 커피를 마시며 형식적인 대화는 이어지네.

대화를 마치고 집으로 돌아가는 길. 문득 외로워지지만
어차피 익숙한 감정일 뿐이야. 어차피 세상은 혼자야.
겉으로는 친한 척하지만 속내를 드러내지 않는 관계.
딱히 원하지는 않지만 싫은 티내지 못해도 웃어야지.
그런 형식적인 관계 속에서 점점 외로워지는 듯해.

어차피 산다는 것은 혼자야. 사람에게 외로움은 당연해.
아무리 절친한 친구라도 시간 지나면 각자 갈 길을 가.
서로의 위치와 입장이 달라니니 예전 같지 않은 관계.
그래. 어차피 사는 건 혼자야. 형식적인 관계에 그리
의미를 부여할 필요는 없지. 어차피 삶은 혼자아니까.

한참을 걸어 도착한 곳. 텅 빈 방이 나를 홀로 반기네.
뜨거운 커피를 마시며 깊은 한숨을 쉬어. 그냥 그렇네.
이렇게 홀로 앉아 커피를 마시는 시간을 즐기고 있어.
형식적인 관계를 유지하기 위해 받는 스트레스 대신
오직 혼자만의 시간을 즐기며 외로움을 온전히 느껴.

고독

고독으로 물드는 어두은 밤이여. 검게 물든 밤하늘이여.
따듯한 커피를 마시며 묻는다. 너는 부정적인 감정인가?
고독으로 점철된 어두운 밤이여. 어둠으로 물든 밤중에
따듯한 커피를 마시며 묻는다. 너는 왜 이리 어두운가?
그러나 고독은 답한다. 자신은 타고난 것일 뿐이라고.

고독은 부정으로 매도되지만 사실은 전혀 그렇지 않다.
고독은 부정적인 감정으로 느껴지지만 그렇지가 않다.
인간은 누구나 고독하기에 자연스로운 감정이 어째써
부정적인 이미지로 그려지는지 묻고 싶지만 누구라도
이를 긍정적으로 바라보지 않기에 이 침묵을 지킨다.

나는 고독을 사랑한다. 고독으로 어두운 저 밤하늘이
부정으로 물드는 것이 아닌 것처럼. 그저 자연스러운
고독이라는 감정에 물드는 내 마음은 고독할 뿐이다.
고독은 부정적인 것이라며 말하는 세상에 고독이란
지극히 자연스러운 감정이니 나는 쓴웃음을 짓는다.

자, 보라. 인간은 누구나 혼자가 된다. 고독 속에서
인간은 진정으로 자기 자신을 돌아보게 되는 것이다.
고독을 부정적인 감정으로 매도하지만 그걸 어째서
마냥 악하게만 바라보는가? 고독은 고독일 뿐이다.
이 자연스러운 감정을 있는 그대로 바라보리라.

불신

세상에 믿을 놈 하나 없다는 말. 이어지는 몇 마디.
그럼 난 널 믿어야 하지? 의리를 따지던 친구들도
시간이 지나고 나니 각자 갈 길을 찾아 서로 바빠.
우리 우정 영원하자던 말은 무의미한 약속이 되어
이미 오래전에 망각되어 기억조차도 희미할 테지.

세상에 믿을 놈 하나 없다는 말. 절대로 마음속에
존재하는 생각과 감정을 드러내지 말라고 말하네.
절대 속내 알 수 없는 네 말을 들자 쓴웃음 나와.
뜨거운 아메리카노 한잔에 믿지 못할 네 말 들어.
이미 오래전부터 그래왔어. 내 속내 드래지 않아.

세상에 가득한 것은 불신. 나라고 뭐가 다르겠니?
세상에 믿을 놈 하나 없다는 말. 나조차 불신해.
악의를 품은 누군가의 속마음은 결코 알지 못해.
스스로 조심해야 해. 항상 가지고 있는 의심은
어쩌면 병이겠지만 나는 너를 끊임없이 의심해.

세상에 믿을 놈 하나 없다며 조언하는 너를 보며
나도 모르게 깊은 한숨을 쉬어. 의심스러운 너야.
우정과 의리를 말하던 시절은 이미 오래된 과거.
나이를 먹으니 점차 멀어지는 것이 친구 관계.
나이를 먹으니 점차 불신하는 것이 사람 마음.

관계

지긋지긋하네. 관계를 유지하기 위해서 노력하는 것이.
지긋지긋하네. 원하지도 않는 관계를 유지하는 것이.
애써 친밀한 척하며 이것저것 선물해. 애써 또 웃어.
친근한 척하며 행동해. 무엇이든지 다 해줄 것처럼.
무언가를 얻기 위해서 유지하는 관계는 지긋지긋해.

내 감정을 절대로 드러내지 않아. 애써 웃고 또 웃어.
친한 척하기 싫지만 애써 속마음을 감추고 그저 웃어.
내게 필요한 것은 당신이 아닌 그 자리의 권위이니까.
친하지도 않은데 친한 척하는 우리 사이에 있는 것은
서로의 이익일 뿐이야. 이런 관계가 지긋지긋해졌어.

서로가 원하는 것이 있으니 유지하는 관계. 지겨워.
서로가 바라는 것이 있으니 유지하는 관계. 지겨워.
지긋지긋하지만 원하는 것을 얻기 위해서 또 웃어.
억지웃음을 짓는 내 연기는 너무나도 자연스러워.
이러다 내가 배우가 되겠네. 연기 실력이 늘었어.

지긋지긋해. 원하지도 않는 관계를 유지하는 것이.
지긋지긋해. 친하지도 않는 관계에 친한 척하면서
고개를 숙이고 억지로 웃는 것이. 어쩔 수 없다는
말로는 위안이 되지 않아. 내 연기 실력이 늘었어.
지긋지긋해도 티가 나지 않는 내 연기 실력 향상.

연기자

시간이 지날수록 점점 지치지만 연리력은 자꾸 향상돼.
마음에도 없는 말을 하며 웃고 떠도는 이 순간에 나는
철저히 연기자가 되어 진심은 아무렇지도 않게 숨겼지.
나이를 먹으니 자연스러워졌어. 표정도 말투도 서서히
연기자가 되어가는 것 같아. 어쩌면 나는 프로 연기자.

마음에도 없는 말. 짜증나지만 순식간에 표정을 바꿔.
말문이 막힐 때면 순간 떠오르는 애드립으로 적절히.
몹시 피곤하지만 당신의 비위를 맞추기 위해 연기해.
당신에게 잘 보이기 위해서 표정과 말투까지 연기해.
어쩔 수 없지. 먹고살기 위해서 잘 보여야만 하니까.

돈 벌어야지. 먹고살아야지. 내 어깨를 짓누르는 것.
의무와 책임이라는 이름의 무게는 결코 가볍지 않아.
나는 원하지 않아도 인생 연기를 펼쳐. 그렇게 점점
연기력은 향상돼. 내가 내미는 것은 선의가 아니야.
온전히 악의를 감추기 위한 연기를 하며 웃고 있어.

부정적인 감정을 철저히 숨겨. 싫은 마음 그저 감춰.
나는 연기자. 내 연기력은 전문가 못지 않아. 알지.
지금 이 순간 중요한 것은 진심이 아니야. 철저히
숨기는 감정과 철저히 관리하는 표정과 말투에는
선의가 아닌 먹고살기 위한 몸부림일 뿐이라는 것.

더 이상

더 이상 하고 싶지 않아. 더 이상 아무것도 하기 싫어.
더 이상 하고 싶지 않아. 이 무게를 견디기가 힘들어.
내 어깨를 무겁게 만드는 의무와 책임은 장난이 아냐.
도대체 내게 무엇을 바라는 건데? 이건 싫증이 아냐.
그것을 넘어선 부정적인 감정은 서서히 나를 공격해.

지칠 때로 지쳤지. 따듯한 커피를 마시며 깊은 한숨.
몹시 피곤하기에 마시는 따듯한 커피 한잔에 이제는
사는 것에 회의감이 드네. 이게 뭐하는 짓인지 싶어.
지칠 때로 지친 내게 필요한 것은 위로 따위가 아냐.
더 이상 아무것도 하고 싶지 않아. 휴식만이 필요해.

더는 이러고 싶지 않아. 더 이상 감당하기 싫어졌어.
애써 웃고 떠들지만 죽어가는 느낌뿐. 깊은 한숨을
내쉬며 조금은 멍하니 바라보는 하늘은 회색빛으로.
이윽고 조금씩 떨어지는 빗방울에 울고만 싶어지네.
이 감정은 무엇인가? 이 감정은 그저 무엇인 건가?

모든 것을 내려놓고 싶어. 어디론가 훌쩍 떠나고파.
이제는 지쳤어. 모든 짐을 버리고 떠나고 싶어졌어.
더 이상 무엇을 원하고 바라냐고 묻지 마. 더 이상
그런 말을 듣고 싶지 않아. 지금 내게 필요한 것은
휴식일 뿐이야. 더 이상 아무것도 원하는 것 없어.

열등감

열등감으로 똘똘 뭉쳐서 어리석게도 질투하고 원망한
시절을 기억하지만 여전히 나는 열등감 덩어리일 뿐.
내가 가지지 못한 것에 대한 욕망은 변하지가 않아.
내가 가지지 못한 것들. 나는 그저 열등감 덩어리.
너를 질투해. 열등감으로 너를 미워하며 증오하지.

너는 절대 모르는 것. 너만 알지 못하는 것. 사실은
오래전부터 시작된 열등감으로 악의를 품은 내 마음.
그것을 철저히 숨기는 나는 여전히 열등감 가득해.
사실은 이런다고 해서 달라지는 것은 없다는 것을
누구보다 잘 알지만 여전히 사라지지 않는 열등감.

열등감은 악감정의 원인. 미움과 분노 같은 악감정.
이윽고 피어난 가장 순수한 악의를 품은 마음의 꽃.
그것을 네가 아닌 나를 죽이고 있어. 그 꽃의 향은
너를 위한 꽃이 아니니 점점 나를 어둠으로 잠식해.
나는 열등감 덩어리. 내가 가지지 못해서 더 짙은.

미안해. 아니, 미안하지도 않지만 네가 하고픈 말.
열등감에 사로잡힌 내가 어리석다는 것은 잘 알아.
나도 내 마음을 어쩌지 못해. 가장 순수한 악의의
꽃이 내 마음속에서 피어났네. 열등감으로 가득한
내 마음은 네가 아닌 스스로를 죽이는 꽃이 되어.

도망자

도망친 곳에 낙원은 없다는 말. 그 말에 과연 사실일까?
도망친 곳도 똑같다는 말. 그 말은 과연 진실인 것일까?
도망자가 되어 나는 떠났지. 그곳은 내게 악몽과도 같아.
다시 돌아가고 싶지 않은 곳. 이곳은 낙원이 아닌 듯해.
악몽을 꾸고 싶지 않아. 한밤중에 마시는 이 커피 한잔.

도망자 처지에 무엇을 바랄 수 있게어? 그저 깊은 한숨.
도망자 신분에 용서를 구할 길은 없지. 참 비겁하게도
스스로 도망친 곳에서 낙원을 꿈꾸는 것은 어리석겠지.
하지만 말이야. 다시 그곳으로 돌아가고 싶지는 않아.
도망친 곳은 낙원이 아니지만 적어도 악몽은 아니야.

그래. 나는 비겁한 도망자. 악몽으로부터 도망을 쳤어.
내가 도달한 이곳은 절대로 낙원이 될 수 없다는 것을
절실히 깨닫게 하네. 그러나 다시 돌아가고 싶지 않아.
죽어라고 발버둥을 쳐도 낙원에 도달할 수는 없겠지.
그러나 이곳이 낙원이 아니라고 해도 돌아가긴 싫어.

나는 악몽으로부터 도망쳤지. 비겁한 선택이지만 알아.
그건 어쩔 수 없는 선택이었어. 그건 당연한 것이었어.
도망친 곳은 낙원이 아니라는 말을 이해하지만 동시에
절실히 느끼는 것. 적어도 이곳은 악몽이 아니라는 것.
그 사실에 안도하는 내가 한심스럽게는 해도 말이야.

악의

나는 사람을 믿지 않아. 그 속내를 절대 쉽게는 모르니.
나는 사람을 믿지 않아. 그것이 진심인지 알 수 없으니.
인간은 악의를 품어. 겉으로는 웃어도 속으로는 어떠한
감정을 품고 나를 대하지는 알 수가 없어. 인간은 악의.
그 미소 뒤에 숨은 어두운 악의는 무엇보다도 날카로워.

나는 보았지. 악의를 품은 인간의 이면을. 그 악의에는
세상 어떤 것보다 어두워서 절대 눈으로는 보이지 않아.
악의를 품은 인간이 결정적 순간에 휘두르는 칼날에는
어떤 관용도 존재하지 않아. 인간을 죽이는 것은 악의.
절대로 용서하지 않는 악의는 칼날보다도 더 날카롭게.

오래전부터 나는 인간을 믿지 않았어. 내 의심을 숨겨.
지나친 의심은 불신이 되기 마련이지만 적당한 의심은
오히려 약이 돼. 내 의심이 적중한다면 위험을 회피해.
내 의심이 틀렸다면 다행일 테고. 인간의 악의를 알아.
그래서 나는 함부로 인간을 믿지 않아. 의심을 감춰.

절대 쉽게 알 수 없는 것이 인간의 마음. 의심을 했어.
인간의 악의는 눈으로 보이지 않아. 끊임없이 의심해.
당신이 마음으로 품은 것은 악의인지 나는 알지 못해.
그것이 누구를 향한 악의인지 알 수 없기에 의심해.
믿을 수 없는 것은 의심하며 거리를 둘 필요가 있지.

의심

의심이 지나치다면 절대로 좋지 않다고 말하는 세상에서
그럼 누가 누구를 믿고 신뢰해야 하는지 말하지 못하네.
나의 의심은 세상 모두를 향하지는 않아. 깊은 의심을
내 이면에 숨기고 사람을 함부로 믿지 않는 것이니까.
의심은 지나치다면 독이지만 적당하면 오히려 약이야.

사람이 사람을 믿는 것처럼 믿지 않는 것도 마찬가지야.
누군가를 믿고 믿지 않는 것은 스스로가 선택할 문제야.
내가 당신을 의심한다고 해서 그게 죄는 아닌 것처럼.
당신이 나를 의심한다고 해서 그것이 잘못은 아니야.
적당한 의심은 오히려 도움이 되기 마련인데 말이야.

적당한 의심. 당신의 말을 곧이곧대로 믿지 않는 것이
왜 나쁜 건지 물었지. 차마 어떤 말도 하지 못하잖아.
절대적인 신뢰는 존재하지 않아. 모든 것은 상대적인
세상인데 신뢰와 의심은 항상 공존할 수밖에 없잖아.
누가 누구를 믿어? 적당한 의심음 오히려 약이 됐지.

적당한 의심. 지나치지도 부족하지도 않는 그런 의심.
나는 사람을 함부로 믿지 않아. 적당한 의심이 내겐
오히려 도움이 됐지. 인간에 대한 불신까지는 아니야.
절대적인 불신보다는 적당한 의심으로 사람을 대할래.
상대적인 의심은 독이 아니라 오히려 약이 되는 세상.

불신

태어난 순간부터 결정되는 것. 그것은 어쩔 수가 없잖아.
타고나기를 그렇게 타고난 것. 그것은 어쩌지 못하잖아.
인간에 대한 불신. 어쩌면 타고난 성향인지도 모르겠어.
천성이 그런 것을 내가 어쩌겠니? 하지만 이내 부정해.
이건 천성이라는 말로는 부족해. 누적된 경험일 뿐이야.

지독히도 가난했던 시절. 모두가 다 외면하고 멀리했지.
지독히도 어려웠던 시절. 모두가 꺼려하고 날 회피했지.
배신하고 떠나간 가족. 자연스레 떠나가는 친구들에게
미움도 원망도 없어. 단지 불신의 꽃이 피어난 것이니.
온전히 나만의 잘못인 걸까? 딱히 그런 것 같지 않아.

타고난 천성. 살아온 세월만큼 누적된 경험. 그것으로
피어난 불신이라는 이름의 꽃이 내 마음속에 존재하네.
인간을 믿지 못하는 것. 또는 인간을 믿지 않는 것은
과연 나쁜 것인지 따지는 것은 덧없고도 부질없는 것.
나는 인간을 불신해. 나는 인간을 그다지 믿지 않아.

나의 의심은 네 잘못이 아니야. 이건 온전히 나의 몫.
나의 의심은 내 잘못만은 아냐. 이건 단지 나의 숙제.
인간을 믿지 못하거나 믿지 않는 것. 불신이란 단어.
이게 좋은 것은 아니라는 것을 알지만 어쩌지 못해.
그래서 불신하는 마음을 감추고 살아가는 것뿐이지.

밤하늘

자정이 가까운 시간. 어두운 밤하늘을 멍하니 바라봐.
습관적으로 피우는 담배 연기. 왠지 조금 어지러워져.
텅 빈 마음을 채우는 것은 공허함뿐이라서 더 답답해.
무엇을 해도 채워지지 않는 것은 과연 공허함인 걸까?
오늘따라 유독 길게 느껴지는 밤중에 밤하늘을 바라봐.

오랫동안 혼자였지. 생각해보면 줄곧 혼자였던 삶인데.
익숙하면서도 친숙하지 않는 이 감정은 과연 무엇일까?
공허한 마음에 채워지는 것은 과연 외로움뿐인 것일까?
지금은 어떤 말도 하고 싶지 않아. 기나긴 침묵을 해.
나는 무슨 말을 듣고 싶은 걸까? 스스로 답하지 못해.

어두컴컴한 밤하늘. 오늘과 내일 사이. 공허한 마음에
외로움만 느껴져. 내게 필요한 것은 위로가 아니란 것.
너는 모르겠지. 습관적으로 피우는 담배 연기에 취해.
그저 멍하니 이 밤을 지새워. 시간은 느리게 흘러가.
이 밤이 지나면 괜찮아질까? 덧없는 의문이겠지만.

익숙하지만 친숙하지 않은 것. 나도 나를 알지 못하지.
공허함에 젖어 채워지는 것은 과연 어떤 감정인 걸까?
스스로에게 묻지만 대답할 수 없어. 그냥 조금 그래.
무엇을 해도 채워지지 않는 텅 빈 껍데기 같은 마음.
이것을 채우는 것은 공허함이니 외로움으로 물드네.

이 밤이 가면

이 밤이 가면 괜찮아질까? 부질없는 생각일 뿐이겠지.
이 밤이 지나면 괜찮을까? 무의미한 생각일 뿐이겠지.
공허한 마음은 무엇으로도 채워지지 않아. 텅 비어서
아무것도 없는 내 마음은 고독에 젖어들고 물들었네.
아무것도 아니지. 이 고독은 이미 오래된 것이니까.

이 밤이 가면 괜찮아질까? 아무런 생각도 하긴 싫어.
이 밤이 가면 괜찮아질까? 지금은 생각하는 것 멈춰.
공허한 마음은 텅 비었기에 고독만이 자리를 차지해.
끝내 알 수 있는 것은 내일도 다르지 않다는 사실뿐.
어제도 그제도 그랬던 것처럼. 달라지는 것은 없지.
어제도 오늘도 내일도 똑같은 하루에 변화는 없어.

왠지 모르게 무기력해지네. 이미 고독으로 젖었는데
무엇을 어떻게 할 수 있겠어? 옷은 빨아도 마음만은
내가 어떻게 할 수 없잖아. 공허한 마음에 고독만이
채워지네. 텅 빈 껍데기 같은 나는 고독에 젖어들어.
이 밤이 가면 달라지는 것은 아무것도 없음을 알아.

그저 가만히 담배를 피우며. 시간은 느르게 흘러가.
공허가 고독과 함께 내 곁을 지키네. 달라지는 건
아무것도 없다는 사실에 쓴웃음 짓고서 깊은 한숨.
어떤 것도 내가 어찌하지 못해. 그저 그런 마음에
깊은 한숨을 내쉬고 무기력하게 눈을 감고 말았어.

무표정

무엇을 해도 재미가 없네. 무표정한 얼굴로 가만히 있어.
무엇을 해도 즐겁지 않아. 무표정한 얼굴로 가만히 있어.
감정의 변화가 이루어지지 않아. 그저 그런 기분이 들어.
웃을 일 없는 일상은 매일 반복되고 그저 지루할 뿐이지.
내게 웃음을 강요하지 마. 그건 무례한 요구일 뿐이야.

무엇을 해도 지루하고 무료해. 매일 반복되는 내 일상은
즐거움을 느낄 만한 것이 아무것도 없다는 게 우울하네.
무엇을 해도 즐겁지 않고 재미없어. 그냥 그런 기분으로
어쩌면 죽지 못해는 사는 듯하네. 하루가 매일 똑같아.
지겨워 죽겠네. 하품도 나오지 않아. 그저 무표정하게.

웃음을 잃었지. 언제 웃을 일 있었는지 기억도 안 나네.
웃음을 잊었지. 어떻게 웃는지조차 잊어버린 듯한 일상.
무표정한 얼굴로 미간을 찌푸리는 대신 변화조차 없어.
거리에 사람들은 무엇이 즐거운지 웃는데 나만 이렇게
철저히 무표정한 건가 봐. 어쩌면 나만 그런 건가 봐.

부러워. 항상 웃을 수 있는 네가. 그 미소를 난 잃었어.
감정의 변화가 없어. 아무런 변화가 없는 나는 무표정.
아무런 변화가 없는 일상은 매일 반복되기에 지루하네.
무엇을 해도 즐겁지 않아. 그저 그런 하루의 반복에는
아무런 즐거움을 느낄 수가 없어. 나는 그저 무표정해.

아무렇지도

아무렇지도 않게 지내는 일상. 얼핏 보기에는 평온해.
아무렇지도 않게 보내는 시간. 겉으로 보기에는 그래.
지독히도 지루하고 무료한 시간. 아무렇지도 않은 척.
사실은 마음은 지루함으로 병들었는데 속내를 감췄지.
타인에게 드러내지 않는 것은 내 속내만은 아니지만.

지루하고 무료해도 겉으로는 아무렇지도 않은 척했지.
내가 어떤 감정을 느끼더라도 그건 타인과는 무관해.
지루하고 무료하다고 신세를 한탄하기는 껄끄럽거든.
나이를 먹으니 내 감정을 숨기고 사는 것이 익숙해.
애써 아무렇지도 않은 척하며 표정을 숨기고 감춰.

애써 아무렇지도 않은 척. 지루하고 무료한 내 일상.
타인에게 피해주고 싶지 않아. 아무렇지도 않은 척.
애써 표정을 관리해. 이러다 연기자가 될 것 같아.
쉽게 드러내지 않는 감정. 애써 모든 것을 숨기며
같으려는 아무 문제 없이 사는 척해. 그저 그렇게.

내 속내를 드러낼 이유는 없지. 그럴 필요도 없어.
겉으로는 아무렇지도 않은 척. 분위기 깨긴 싫어.
지루하고 무료한 것은 어디까지나 내 감정이니까.
개인적인 감정은 오직 개인적으로 해결할 문제야.
애써 아무런 문제도 없는 척해. 그저 그렇게 살아.

익숙한

무언가 익숙한 것 같으면서도 익숙하지 않은 것을 봐.
무언가 익숙한 것 같으면서도 친해지지 않는 것을 봐.
오직 혼자라는 것. 온전히 혼자라는 것. 익숙한 단어.
사실은 완전히 익숙해질 수 없든 단어 앞에서 어색해.
나도 모르게 한숨을 쉬고 고개를 저었지. 좀 답답해.

익숙하지만 친해질 수 없는 것. 혼자라는 것. 그러나
내가 어찌할 수 있는 것은 아니라는 것을 잘 알거든.
인생이라는 여정은 내 뜻대로만 되는 것이 아니잖아.
원하지 않더라도 익숙한 혼자라는 것에 쓴웃음 짓고
따듯한 커피를 천천히 마셔. 어쩔 수 없는 것이거든.

익숙하지만 친해지기 어려운 단어. 혼자라는 단어에
내가 할 수 있는 것은 없어. 무엇이 어떻든 결국에
나는 혼자가 되었고 삶은 언제나 혼자만의 것이지.
나는 왜 혼자인지 묻고 싶지 않아. 그냥 그러하니.
익숙한 것. 익숙하기에 당연하게 느껴지는 그런 것.

내가 할 수 있는 것은 없어. 익숙한 것은 익숙해서
애써 아무렇지도 않은 척하는 것뿐이니까. 모든 건
내 뜻대로만 되는 것이 아니라는 것을 알아. 그래.
오랜 세월 동안 혼자였기에 익숙해진 이 단어에는
오랜 세월이 존재하니 차마 드러내지 못하는 감정.

이런다고 해서

이런다고 해서 달라지는 것은 아무것도 없다는 것 알아.
이런다고 해서 변화하는 것은 아무것도 없다는 것 알아.
외로움을 극복하기 위해 귀찮지만 사람을 만나는 거야.
사실은 이런다고 해서 외로움이 사라지는 것은 아니지.
관계 속에서도 외로운 것은 근본적으로 달라지지 않아.

이런다고 해서 달라지는 것은 아무것도 없다는 것 알아.
외로운 마음에 사람을 만나도 달라지는 것은 없는 거야.
그럼에도 끊임없이 갈구하는 것은 외로움을 극복하려는
마음이 깊은 한숨이 저절로 나와. 그저 그런 기분이지.
사람을 만나도 달라지는 것은 아무것도 없음을 알잖아.

사람을 만나도 해결되지 않는 외로움. 덧없음을 알아.
비로소 혼자가 되었을 때 마주하는 진정한 이 외로움.
내가 외롭다는 사실을 인정했어. 비로소 평온함 오네.
이제야 알겠어. 이런다고 해서 달라지는 것은 없음을.
혼자만의 시간을 가져. 비로소 보이는 내 마음을 봐.

애써 외로움을 달래기 위해 만나는 관계는 그저 그래.
덧없지. 외롭다고 만나는 관계에 진정성은 없는 거니.
내가 혼자라는 사실을 받아들이는 순간에 발견했거든.
내가 혼자여도 괜찮다는 것을 받아들이자 평온해지네.
그래. 이런다고 달라지는 것은 아무것도 없는 거였어.

관계

친분을 다지기 위해서 관계를 형성해. 덧없고도 부질없어.
친분을 유지하기 위해 만남을 가지지. 무의미한 것이지만.
관계를 형성하고 유지하는 것. 그것에는 진심이란 없었어.
애써 친분을 다져도 정작 중요한 순간에는 무의미할 뿐인
관계에 연연하고 싶지는 않아. 관계로부터 벗어나고 있어.

우리의 관계. 필요에 의해서 형성되고 이어지는 관계에는
진정성은 존재할 리가 없지. 막상 필요할 때면 다 사라져.
정작 도움의 손길을 내밀 때면 외면하는 관계는 덧없어서
아무런 의미가 없다는 것을 절실히 깨달았어. 무의미하지.
내가 관계를 형성하기 위해서 노력했던 그 모든 것들마저.

우리의 관계. 아무런 의미가 없다는 것. 절실히 깨달았어.
서로의 편의를 위해서 형성된 관계에 진정성은 없는 거야.
막상 필요할 때면 보이지 않는 인연은 무의미하고 덧없지.
그런 것에 연연할 필요는 없어. 덧없고 것은 과감히 버려.
우리의 인연은 여기까지. 감정을 낭비하고 싶지는 않으니.

관계를 정리해. 불필요한 모든 관계를 정리해. 삶이란 것.
어차피 혼자야. 관계를 형성하고 유지하고자 했던 노력은
시간이 지나고 나니 덧없고 부질없다는 것을 다시금 느껴.
서로의 이익을 위해서 유지되는 관계에 진정성 따위 없지.
그렇게 형성된 관계는 서로에게 아무런 도움이 되지 않아.

본능적으로

본능적으로 느껴졌지. 친절한 태도로 접근하는 네 악의.
본능적으로 느껴졌어. 환하게 웃으며 다가오는 네 악의.
불쾌한 악의가 느껴져. 비수처럼 느껴지는 그 악의에는
결단코 가까워지고 싶지는 않아. 그것은 순수한 악의야.
그 악취가 강렬해질수록 나는 본능적으로 더 거리를 둬.

우연한 만남. 친해지고 싶다는 말. 나는 의심을 했었지.
누구에게나 친절한 태도. 호감을 주는 이미지. 난 봤어.
본능적으로 느껴지는 강렬한 악의를 품은 그 미소 속에
숨겨진 알 수 없는 어둠을. 의심은 조금씩 확신이 되어
너와의 거리를 두게 만들어. 본능적으로 회피하는 악의.

너의 악의는 과연 누구를 향하는 것일까? 알 수 없겠지.
너의 악의는 무엇으로부터 존재하는 걸까? 나는 모르지.
그러나 그 악의가 결코 순수하지 않다는 것만 느껴지네.
본능적으로 느껴지는 너의 악의에 나는 나 자신을 숨겨.
철저히 숨겨진 악의의 꽃이 여기에도 존재하는 것 봤지.

사람들은 말해. 너는 좋은 사람 같아. 나는 멀어져야지.
본능적으로 느껴지는 악의. 그 악취가 여기까지 느껴져.
사람을 너무 의심하는 것이 아니냐고 말해도 난 철저히
나를 숨기고서 절대로 거리를 좁히지 않아. 본능적으로
느껴지는 강렬한 악의에는 보이지는 악취가 가득하거든.

어두운 이면

언제나 웃는 표정. 몸에 베인 친절과 따듯한 말투. 하지만 나는 너를 믿지는 않아. 어두운 이면은 언제나 공존하니까. 누구와도 어울리는 너의 모습은 호감을 사기에는 충분하지. 그러나 나는 마음을 열지 않아. 어두운 이면이 공존하기에 쉽사리 믿을 수 없거든. 안타깝게도 나는 이렇게 살아왔어.

친절한 태도와 친근함. 누구와도 친구처럼 지내는 네 모습. 항상 보기 좋아보여. 하지만 나는 어두운 이면 있으리라고 짐작하며 너와 가까이 하려고 하지 않아. 너에게는 아무런 잘못이 없다는 사실을 분명히 알아. 하지만 오래된 불신은 세상 누구에게나 공평해. 내 어두운 이면은 바로 불신이지.

누구와도 잘 어울리는 네 모습. 어두운 이면이 존재하겠지. 어쩌면 가장 쓸데없는 의심일 뿐이지. 하지만 나는 공평해. 세상 그 누구도 쉽사리 믿지 못하는 나는 불신으로 가득해. 인간에 대한 불신. 그것에 내 어두운 이면으로 존재하거든. 이건 네 잘못이 아니야. 그저 내 어두운 이면에 숨은 진심.

너는 아무런 잘못이 없다는 것을 알아. 어두운 이면이라는 말에 숨겨진 것은 사실 내게는 아무런 의미가 없다는 거야. 그러나 내 어두운 이면은 인간에 대한 불신. 나도 잘 알아. 사람을 의심하고 불신하는 어두운 이면. 그것이 내 본래의 정체라는 것을 알기에 쓴웃음을 지으면서 미안함을 느끼니.

선의와 악의

우리의 선의와 악의는 양극단에 서서 존재하고 바라봐.
하지만 선의와 악의는 동일한 선상에 바라보고 판단해.
누군가를 향한 선의는 오히려 악의로 쉽게 변질되거든.
누군가를 향한 악의는 또 다른 누군가에게는 선의거든.
선의와 악의를 근본적인 차이는 해석의 차이에 해당돼.

나의 선의가 누군가에게는 오히려 해를 끼치는 거니까.
나의 악의는 누군가에게는 오히려 도움이 되는 거니까.
선의와 악의를 구분하는 기준은 과연 무엇인지 물어봐.
선의가 곧 정의를 의미하는 것이 아닌 것처럼 내 안에
존재하는 악의가 곧 해악이 되는 것은 아닌 것을 알아.

선의와 악의. 그것이 타인에게 어떤 영향을 주는 걸까?
결국에는 그것이 도움이 되는지 여부로서 결정되는 것.
선의는 곧 악의이며 악의가 곧 선의가 되는 이 세상에
지극히 주관적인 마음은 객관적인 기준이 되지 못하지.
나의 선의는 악의이며 악의는 선의가 되어 존재하겠지.

당신의 선의는 그가 바라는 게 아니야. 나의 악의에는
당신에게 아무런 피해를 주지 않아. 선의와 악의 사이.
그것을 나누는 명백한 기준은 주관적으로 해석되는 것.
나의 마음이 당신에게 어떤 영향을 주는지 생각해야지.
그 영향이 곧 선의와 악의를 구분하는 기준이 될 테니.

순수한 마음

순수한 마음으로 타인을 돕고자 했던 너는 금세 무너졌지.
이타적인 삶을 살겠노라고 말하던 너는 그 뜻을 포기했지.
누군가를 돕는 삶. 그 순수한 의도를 이해하지만 모든 게
결코 좋은 결과로 이어지지 않다는 것을 결과로 깨달았지.
너의 순수한 마음은 금이 가고 이내 악감정만이 남았잖아.

이타적인 삶을 살겠다고 말하던 너. 악감정만이 가득해서
짜증스러운 표정으로 타인을 경멸하는 네 모습을 발견해.
순수한 마음으로 봉사하며 살겠다는 결국 지켜지지 않아.
그 약속은 부질없는 것이 되어 네게 더는 존재하지 않아.
짜증 섞인 표정으로 분노를 표출하는 네 모습을 난 봤지.

사는 게 지치다고 힘들다고 말해. 그저 쓴웃음을 지으며
타인을 위해서 사는 것은 무의미하다고 말하는 너에게
순수한 마음은 더 이상 아무런 의미도 존재하지 않아.
지칠 때로 지친 네게 해주고 싶은 말은 아무것도 없어.
그래. 순수한 마음은 네 삶에 오히려 손해만 끼쳤잖아.

타인을 돕는 삶. 순수한 마음으로 이타적인 삶. 그것이
네 꿈이었지만 지금의 너는 지칠 만큼 지쳐서 포기했지.
돌이켜보면 어때? 그 순수한 마음은 네게 어떤 의미니?
고개를 가로저으며 더 이상 언급하기 싫다는 너의 모습.
그래. 순수한 마음은 너 자신을 극도로 지치게 했구나.

인간의 악의

인간의 악의에는 특별한 이유가 없지. 그건 불필요해.
인간의 악의에는 대단한 계기도 없다. 그건 무의미해.
사람이 사람을 싫어하고 미워하는데 이유는 불필요해.
내가 걷는 길에 그림자가 따르는 것처럼 악의 속에서
존재하는 이유는 그리 대단한 것은 아님을 잘 알잖아.

인간의, 인간에 의한, 인간을 향한 악의. 마음속에서
존재하는 악의는 잘 드러나지 않아. 마치 그림자처럼.
칼날보다 날카롭게 사람을 죽이려는 그 순수한 악의.
그것에 어떤 의미를 부여할 필요는 없어. 원래 그래.
인간의 악의. 그 무엇보다 순수한 감정의 꽃은 악의.

사람이 사람을 사랑하는데 이유는 불필요해. 그래서
사람이 악의를 품는 것에는 의미가 필요하진 않아.
인간의 악의는 마치 그림자처럼 자연스러운 것이니
악의보다 순수한 감정의 꽃은 과연 무엇인지 싶어.
그래. 인간의 악의는 사랑처럼 순수한 감정의 꽃.

내가 품은 악의. 그것은 어두운 그림자와도 같아서
어떤 이유가 필요하지 않아. 인간의 악의는 마음을
구성하는 하나의 조각이니 이유를 부여하지는 마.
그것에 특별한 이유는 없어. 그런 것은 덧없거든.
인간의 악의. 사랑만큼이나 순수한 감정의 꽃이지.

사랑의 이면

사랑이라는 감정에 숨겨진 어두운 이면. 그건 무엇일까?
사랑한다는 말에 숨겨진 어두운 이면. 그것은 진심일까?
사람이 사람을 사랑하는데 이유가 없는 것처럼 사랑이
깨지는 것도 특별한 이유는 없어. 원래 그런 거니까.
사랑의 어두운 이면. 아무런 이유가 없다는 사실이지.

사랑은 진심이라도 영원하지 않아. 끝내 깨지는 사랑은
찰나의 순간에 시작되어 한순간에 끝나버리는 조각이야.
사랑이 끝난 후에 서로를 미워하고 원망하는 악감정은
어두운 이면을 증명해. 사랑의 어두운 이면은 그런 것.
그래. 사랑은 미움과 별반 다르지 않다는 사실이니까.

사랑이 영원할 거라는 착각. 사랑이 이별로 끝난 후에
한동안 서로를 죽도록 미워하고 원망하며 싫어하게 돼.
사랑의 어두운 이면. 사랑과 상반되는 그 감정이 남아.
그래. 사랑의 뒷면에는 미움이 있다는 것이 진실이야.
모든 것에는 어두운 이면이 있어. 세상은 원래 그래.

사랑의 이면. 죽도록 사랑했지만 죽도록 미워하는 것.
시간이 지나고 나면 그리움이라는 단어로 포장되겠지.
사랑의 이면. 뜨겁게 사랑했지만 차갑게 식어버리는
감정의 뒤편에는 사랑과 정반대의 감정이 존재하네.
사랑의 어두운 이면. 그것은 바로 미움의 공존이야.

봄바람

봄바람이 따듯할 줄 알았지? 생각보다 추운 봄바람인데.
막 피어나려는 꽃이 다시 죽어가는 것을 나는 보았어.
얼어붙은 땅이 녹아내리고 꽃이 피어나는 이 계절은
참으로 모순된 것 같아. 마치 인간의 모순과도 같아.
겉으로는 착해보여도 속내를 알 수 없는 인간 같아.

쌓인 눈이 녹아내리고 꽃이 피어나는 계절. 봄이 되어
모든 것이 새로이 시작되리라 생각했던 것은 틀렸어.
여전히 싸늘한 봄바람. 여전히 차가운 땅은 그대로.
봄이라고 따듯해지는 것은 아니야. 인간의 모순점.
겉과 속이 다른 인간의 모순을 닮은 그런 계절이여.

나는 분명히 보았어. 피어나려는 꽃이 동사하는 것을.
나는 분명히 보았어. 봄바람에 죽어가는 생명의 기운.
생각보다 싸늘한 봄바람. 따스하지 않는 봄바람에는
인간의 모순이 느껴져. 겉으로 보기에 그렇지 않아.
속으로는 어두컴컴한 인간의 마음. 봄은 그런 듯해.

봄바람이 불어온다. 생각보다 싸늘한 봄바람. 알았다.
이 계절은 새로운 생명이 시작되는 것이 아니라는 것.
인간의 이면에는 어둠이 존재하는 것처럼 이 계절에
따스함은 새로운 시작을 알리는 것은 아니라는 것.
나는 분명히 보았다. 봄바람에 죽어가는 그 꽃을.

장마철

무더운 한여름. 하염없이 쏟아지는 빗줄기에 젖어들었다.
조금은 멍하니 마시는 따듯한 커피. 회색빛 하늘을 본다.
무더위를 닮은 열정으로 꿈을 향해 걷던 시절은 어디로
사라지고 비에 흠뻑 젖어 무거운 마음만이 내게 남았다.
장마철이다. 현실은 현실이라는 말이 와닿는 시절이다.

한여름의 무더위처럼 뜨거운 열정. 꿈을 향한 열정이여.
길어지는 장마철에 흠뻑 젖은 마음속 열정은 젖어버려
식어버렸다. 내 꿈은 과연 무엇이었는지 가물가물하다.
장맛비에 젖은 마음은 열정이 불타오르지 않을 것이다.
나는 비에 흠뻑 젖어 무거운 마음으로 이곳에 머문다.

아, 그렇구나. 한여름의 무더위가 절정에 도달을 해도
장마철이 되면 끝내 식어버리는 꿈과 열정은 덧없구나.
그칠 줄 모르는 장마에 흠뻑 젖은 열정은 식어버리고
현실이라는 단어에 멈춰선 나는 무엇을 바라보는가?
열정을 대신하는 의무와 책임에 몸도 마음도 무겁다.

꿈은 꿈이고 현실은 현실이라는 말. 과연 그런 거구나.
한여름의 무더위를 닮은 열정은 한때에 불과한 거구나.
그칠 줄 모르는 장맛비에 젖은 몸도 마음도 지쳐버려
더 이상 나아가기 어렵다. 나는 이곳에 멈춰서버렸다.
장마철은 가장 힘든 시기에 직면한 나를 설명한다.

늦가을

마른 나뭇가지와 노란 낙엽 수북이 쌓인 길. 공허하다.
화려한 단풍으로 가득한 가을의 절정은 어디로 갔을까?
찰나의 순간에 절정을 이루던 가을의 화려함은 끝났다.
청춘은 끝났다. 현실을 직시하고 살아가야 할 차례다.
나의 축제는 끝났고 이제는 늦가을처럼 공허해지리라.

꿈과 열정으로 미친 듯이 달렸던 시절. 모두가 응원한
내 가을은 이미 그 끝에 도달했구나. 텅 빈 거리에는
공허함만이 남아 아무도 없다. 내가 가야 하는 길은
생명을 잃은 노란 낙엽만이 수북이 쌓여 죽어버렸다.
이곳에는 아무것도 없다. 꿈도 열정도 다 떠나갔다.

꿈을 쫓던 시절. 무엇을 해도 즐거웠던 시절. 끝났다.
젊었기에 어떤 도전도 두렵지 않았던 나의 청춘이여.
네가 떠나고 나니 텅 빈 거리는 늦가을처럼 되었다.
텅 빈 거리에 메마른 나무는 죽어가고 낙엽이 쌓여
그 어떤 것도 존재하지 않는 듯하구나. 그러하구나.

차마 웃지 못하는 나는 멍하니 이 길을 홀로 걷는다.
스스로 잘 될 거라고 확신하던 청춘은 나를 떠났다.
나는 늦가을이다. 내 삶은 늦가을을 맞이하고 있다.
메마른 나뭇가지와 수북이 쌓인 낙엽 위를 걷는다.
헛헛한 마음에 텅 빈 것은 결코 채워지지 않는다.

한겨울

하얗게 쌓인 눈. 가장 순수하고 예쁜 하얀 눈길을 걷는다.
발자국은 이내 사라지고 그 끝을 알 수 없는 길을 걷는다.
한때는 꽃으로 가득했던 이 길에는 하얀 눈만이 수북하다.
가장 하얀 눈길을 밟고 지나가자 검은 발자국이 남지만
이내 사라지고 어떤 것도 남지 않을 것임을 나는 안다.

한참을 걸어 도착한 텅 빈 집. 현관문을 열자 공허함만이
나를 반긴다. 겉옷을 벗고 몸을 녹이자 어둠이 다가온다.
하얀 눈과 상반되는 깊고 짙은 어둠이 반갑게 인사하다.
그러나 이것은 정반대의 것이 아니다. 한겨울은 어둡다.
단지 하얀 눈으로 포장되어 순수하게 보이는 것뿐이다.

힘없이 소파에 앉아 뜨거운 커피를 마신다. 공허함만이
나를 반기는데 나는 네가 전혀 반갑지 않다. 텅 비어서
헛헛한 마음에 사는 게 뭔지 생각하지만 머리도 얼었다.
차갑게 얼어붙은 마음은 뜨거운 커피로도 녹지 않아서
공허한 표정으로 창문 너머 어두운 밤하늘을 바라본다.

여긴 한겨울이다. 한겨울의 하얀 눈이 수북이 쌓여서
하얗지만 어두운 광경만이 눈에 선명히 보일 뿐이다.
이 계절은 지독히도 어둡고 공허한 계절이다. 그래.
나는 한겨울에 있다. 하얀 눈이 쌓여도 어둑어둑한
한겨울이다. 서로 상반되는 색이 존재하는 계절이여.
나는 과연 무엇으로부터 이렇게 홀로 존재하는 걸까?

어두운 밤하늘

어두운 밤하늘은 자신의 모든 것을 감추며 숨긴다.
어두운 밤하늘은 자신의 모든 것을 비밀로 삼는다.
우리는 어두운 밤하늘이 감춘 비밀을 알지 못한다.
서로가 서로의 마음을 알 수 없는 것처럼 말이다.
인간이 타인의 마음을 알지 못하는 것과 마찬가지.

나는 어두운 밤하늘이다. 속내를 철저히 감추면서
절대로 드러내지 않기에 나는 어두운 밤하늘이다.
너는 나를 모른다. 너는 내 마음을 알지 못한다.
그러나 나 또한 너를 모른다. 나도 마찬가지다.
서로가 서로의 속내를 알지 못해 어두운 밤하늘.

세상살이는 어두운 밤을 보내는 것이다. 서로가
서로의 마음을 절대 쉽게 드러내지 않는 것이다.
진실한 사랑도 오래된 우정도 진실은 숨겨졌다.
서로가 서로에게 감춘 것은 과연 무엇이었을까?
그러나 말하지 않는 마음은 절대로 알 수 없다.

나는 어두운 밤하늘이다. 저 밤하늘의 이면에는
어떤 것이 존재하는지 알 수 없다. 나는 숨었다.
내 마음을 숨기고 속내를 비밀처럼 여기며 숨겨
드러내지 않는다. 너라고 또 무엇이 다르겠느냐?
우리는 어두운 밤하늘처럼 서로를 바라보았다.

어스름한 새벽

어스름한 새벽. 어둠이 채 가시지 않는 새벽녘을 보아라.
어르슴한 새벽. 아직 다가오지 않는 햇살은 어둠 속이다.
나는 발견했다. 환하게 웃지만 어두운 그 마음의 상처를.
그러나 나는 그 상처를 차마 물어보지 못해 웃고 말았다.
네 미소에 나는 웃는다. 어스름한 새벽처럼 그저 웃는다.

차마 물어보지 못하겠다. 어스름한 새벽 같은 그 상처를.
너는 대답하지 않으리라. 이 어둑어둑한 새벽 하늘 닮은
마음은 절대로 쉽게 상처를 드러내지 않으리라는 것을
나는 그 누구보다 잘 고 있다. 그저 침묵하며 웃는다.
타인의 상처는 내가 치유할 수 없는 그런 것이기에.

우리는 어스름한 새벽이다. 아파도 차마 드러내지 못할
어두운 이면을 알면서도 끝내 마주하지 못하리라는 것.
우리는 어스름한 새벽이다. 이윽고 마주할 아침 햇살은
깊고 짙은 어둠 속에서 탄생하지만 그것을 외면한다.
서로 묻지 못하는 어스르함은 감춰진 비밀처럼 있다.

자, 보아라. 어스름한 새벽녘에 바라보는 어두운 이면.
그러나 묻지 못하리라. 어두운 이면에 감춰진 그 진실.
서로가 알면서도 말하지 못하는 어둠은 그런 것이다.
서로를 알기에 차마 묻지 못하는 어두운 이면 속에는
차마 말하지 못하는 사정이 있는 것이니 침묵을 한다.

사랑하는 당신

내가 사랑하는 당신의 어두운 이면을 나는 알지 못한다.
내가 사랑하는 당신의 어두운 이면을 결코 알지 못한다.
서로가 진실된 마음으로 사랑을 말하지만 나는 모른다.
감춰진 이면은 끝내 말하지 못할 비밀로 존재할 테니
어쩌면 사랑 또한 어두운 이면에 감춰진 비밀이리라.

나는 당신의 어두운 이면을 모른다. 말하지 못할 비밀.
그것은 과연 무엇인가? 다만 나는 끝내 묻지 않으리라.
서로가 서로에게 말하지 못하는 어두운 이면의 진실은
끝내 사랑을 깨는 칼날이니 그게 두려워 침묵하리라.
우리의 사랑. 그 이면에 숨겨진 어두운 비밀이 된다.

서로를 사랑하지만 온전히 신뢰하지 못해 숨긴 비밀은
어두운 이면으로 감춰졌고 나는 차마 입을 열지 못해
그저 침묵한다. 서로가 감춘 어두운 이면의 비밀에는
두려움이 존재하니 나는 그 어떤 것도 묻지 못하겠지.
사랑이 깨질까 두려워서 나는 그저 침묵을 지키리라.

사랑은 진심이지만 어두운 이면을 철저히 감추고 만다.
진실된 사랑이지만 어두운 이면은 서로가 묻지 못한다.
서로에게 어두운 이면이 있다는 것을 알지만 침묵하는
단 하나의 이유는 이 사랑이 깨질까 두렵기 때문이다.
나의 침묵은 이 사랑이 지속되는 동안 깨지지 않겠지.

우리의 인연

서로 상처가 있다는 것을 알고 시작한 우리의 인연이지.
그렇기 때문에 더욱 조심스러운 우리의 인연은 말이야.
서로가 서로의 상처를 보듬어야 하지만 쉽지가 않아.
서로가 감춘 이면에 깊은 상처가 있다는 것을 알지만
끝내 속내를 털어놓지 못하는 우리 사이는 어색하네.

사랑이라는 감정으로 시작한 우리의 인연. 사실 알아.
서로 상처가 있다는 것을 알고 시작했지만 그 이면에
숨겨진 깊은 상처는 사랑으로 치료될 수 없다는 것을.
그래서 더욱 두려워. 이 상처가 깊어질까 봐 두려워.
차마 털어놓기 어려운 상처는 그렇게 흉터가 되거든.

인간은 누구나 어두운 이면 있어. 그 이면에 숨겨진
서로의 상처를 차마 드러내지 못해. 그것을 알기에
우리의 인연에 진전이 없어. 어쩌면 서로가 서로를
신뢰하지 못하기에 이 상처는 아물지 못하는 걸까?
묻고 싶지만 껄끄러운 질문을 나는 마음으로 삼켜.

우리의 인연. 사랑이 다시 시작됐지만 말하지 못해.
우리의 사랑. 아직 신뢰가 쌓이지 못한 건지 몰라.
서로의 이면에 깊은 상처가 있다는 것을 알면서도
차마 물어보지 못하는 것은 신뢰의 문제인 걸까?
나는 침묵해. 우리 인연이 멀어질까 두려워졌어.

추레한 노인

오래된 기차역. 작은 벤치에 앉은 추레한 노인을 보았다.
그저 멍하니 회색빛으로 물든 하늘을 바라보는 시선에는
아무런 생기가 느껴지지 않는다. 추레한 노인의 뒷모습.
몹시 지친 노인의 어깨 위에 놓인 것은 삶의 무게인가?
추레한 노인은 아무 말도 없이 그저 멍하니 앉아있다.

저 추레한 노인의 뒷모습을 힐끔거리며 지나가는 누군가.
동행인과 무언가를 속삭이며 비웃음 섞인 표정을 짓는다.
눈에 거슬리지만 모른 척하며 나는 노인을 가만히 본다.
이윽고 쏟아지는 빗줄기. 유리창 너머 비 내리는 풍경.
지독히도 고독하게 보이는 추레한 노인은 죽어가는가?

째깍째깍. 시계 소리 몹시 느리게 흘러가는 이 순간에
추레한 노인은 마치 죽음을 기다리는 듯하기에 슬프다.
텅 빈 눈동자는 아무것도 담기지 않는다. 그저 멍하니
유리창 너머 회색빛 풍경을 바라보는 추레한 노인에게
필요한 것은 아무것도 없다. 그렇게 시간은 흘러간다.

추레한 노인의 모습. 아무도 신경 쓰지 않는 노인에게
필요한 것은 과연 무엇일까? 그것은 무관심인 것일까?
드물게 추레한 노인을 힐끔거리는 그 누군가의 시선.
그러나 그 시선은 곱지 않다. 추레한 노인의 모습에
정작 필요한 것은 철저한 무관심인 건지도 모른다.

무거운 침묵

텅 빈 의자에 앉아 바라보는 저 사람들이 지나가는 모습.
나는 어떤 말도 하고 싶지 않아 무거운 침묵을 지키리라.
나는 누구인가? 나는 무엇인가? 나는 왜 이곳에 있는가?
침묵은 무겁고 눈꺼풀도 무겁다. 졸음이 쏟아지는 대낮.
나는 이곳에서 과연 무엇을 하는지 스스로 알지 못한다.

주머니에 손을 넣고 조금은 멍하니 사람들을 구경하지만
시간은 아주 더디게 흘러간다. 나는 그저 가만히만 있다.
시간은 거북이처럼 천천히 흘러간다. 시간은 죽어간다.
나는 여기서 무엇을 하는가? 대답하지 못해 침묵한다.
무거운 침묵이 내 어깨를 짓누른다. 머리가 어지럽다.

나는 누구인가? 나는 여기서 무엇을 하는가? 졸립지만
편히 잠들 수 없는 곳. 거리에 아무렇게나 드러누워서
잠든 노숙자의 처지와 내가 무엇이 다르겠냐마는 그저
멍하니 시간을 죽이며 애써 졸음을 참고 또 참아낸다.
아무런 의미가 없다. 이것은 덧없는 것에 불과하다.

무거운 침묵이 길어진다. 졸음을 쫓기 위해 일어섰다.
허리는 아프고 몹시 피곤하다. 한참을 걸어서 도착한
이곳은 나의 집. 현관문을 열자 반기는 지독한 고독.
이 쓸쓸함이 싫어 혼잣말을 중얼거리자 깨지는 침묵.
무거운 침묵이 깨지자 오직 고독만이 내게 말을 건다.

아무것도 없는

아무것도 없는 마음에 담배를 피우며 깊은 한숨 쉬어.
조금은 멍하니 있다 이런저런 생각에 잠겨. 덧없지만.
정확히 반쯤 죽은 듯해. 그저 멍하니 바라보는 하늘은
오늘따라 왜 이리 맑은지 모르겠어. 그저 깊은 한숨.
아무것도 없는 것. 공허한 마음에 헛헛함만 느껴져.

아무것도 없어. 내 마음속에는. 그저 공허할 뿐이지.
아무것도 없어. 텅 빈 껍데기처럼 아무것도 없기에
구름 한 점 없는 맑은 하늘이 원망스럽네. 덧없지.
텅 빈 껍데기뿐인 나는 정확히 반쯤 죽은 듯한데
사람들은 어떻게 살아가는지 모르겠어. 그냥 그래.

가까운 자판기에 동전을 넣고 뽑는 커피를 마셨어.
조금은 멍하니 죽이는 시간에 아무것도 없는 듯해.
이게 뭐하는 짓인가 싶지만 딱히 할 일도 없거든.
아무것도 없어. 정말로 아무것도 없어. 그냥 그래.
시간은 느리게 흘러가고 내 일상에 아무것도 없어.

그냥 먹고살기 위해서 살아. 그냥 하루하루 살아.
별다른 이유는 없지. 아무것도 없는 나의 일상에
특별한 의미는 없어. 애초부터 아무것도 없었어.
지금 이게 뭐하는 짓인가 싶지만 생각하기 싫어.
머릿속 잡념을 지우고 그저 멍하니 시간을 죽여.

이윽고

오늘따라 유독 느리게 흐르는 시계. 이윽고 긴 비가 내려.
오늘따라 유난히도 느린 시간 속에서 유리창 너머를 봤어.
따듯한 커피를 마시며 오늘은 왜 이리도 헛헛한지 모르지.
소파에 앉아 가만히 유리창 너머 비 내리는 하늘을 보네.
이런다고 달라지는 것은 아무것도 없다는 것을 알면서도.

도통 알다가도 모르는 것. 내가 무엇을 원하고 바라는지.
도무지 모르겠어. 사는데 이유가 없어. 그냥 살아가는데
특별한 이유는 불필요하겠지만 유난히도 그저 그런 하루.
이윽고 쏟아지는 빗줄기. 이윽고 길어지는 텅 빈 시간에
하품을 했어. 따듯한 커피 한잔에 이윽고 슬퍼지려 하네.

살아도 사는 것 같지가 않아. 무엇을 해도 재미 없는 삶.
그 무엇을 해도 즐겁지가 않아. 일상적 즐거움을 상실한
나는 과연 무엇을 해야 할까? 도통 알다가도 모르겠거든.
누가 좀 알려주었으면 좋겠네. 내게 답을 주었으면 하네.
그러나 아무도 없지. 각자가 각자의 삶을 살아가기 바빠.

이윽고 느껴지는 회의감. 살아도 사는 것 같지가 않은데
나는 무엇을 어떻게 해야 하는 걸까? 나의 이면에 숨은
이 지루하고 무료한 감정이 내 일상을 지배하려고 하네.
어쩌면 오래도록 살아지지 않을 이 감정이 너무 싫지만
내가 어찌하지 못하리라는 사실만 확인해. 그냥 그렇지.

꿈과 현실

꿈은 꿈이고 현실은 현실이라는 말. 그 말을 부정했지.
꿈은 꿈이고 현실은 현실이니 똑바로 정신 차리라면서
채찍질했던 당신의 말로는 그다지 행복하지는 않잖아.
꿈과 현실일 철저히 구분하고 스스로 채찍질했던 건
스스로 원하는 바를 버리고 살아가는 것에 불과해.

그래. 꿈과 현실을 철저히 구분하라는 말. 난 공감해.
동시에 마냥 긍정할 수도 없어. 꿈을 포기한 당신의
말로가 과연 행복한지 묻고 싶어. 끝내 침묵하면서
아무런 변명도 하지 못하는 당신의 이면에 있는 것.
그것은 단지 후회일 뿐이야. 솔직히 말해서 그렇지.

양심이 있다면 타인에게 그런 말 못하지. 당신에게
가장 중요한 것은 과연 무엇이었는지 말했으면 해.
그렇게 꿈은 꿈이라고 외치던 당신의 그 말로에는
오직 후회만이 남아 공허한 시선으로 살아가잖아.
꿈과 현실. 그건 양자택일의 문제가 아니었잖아.

지독히도 현실만을 추구하던 그 삶의 말로를 봤어.
결국 남은 것이 뭔데? 당신이 말하던 그 현실이란
과연 어떤 건데? 스스로 확답하지 못하는 그 기준.
스스로도 확신하지 못하는 현실을 왜 강요했는지
물어보지만 끝내 아무 말도 하지 못하는 당신이야.

당신의 말로

돈이 곧 세상살이의 전부라 말하던 당신의 말로를 봐.
아무도 곁에 남지 않아 고독만이 남은 당신의 모습에
깊은 한숨이 나와. 미친 듯이 돈에 집착했던 그 삶에
행복이라는 단어가 존재했었는지 깊은 의문이 들었지.
돈이 곧 갑이며 힘이라고 주장하던 당신의 그 비참함.

그래. 누구나 인정하는 사실. 돈은 가장 중요한 도구.
돈이 없으면 아무것도 할 수 없는 게 현실인 것 알아.
돈으로 할 수 있는 것이 많다. 그러나 그게 전부라고
말하던 당신의 말로는 생각보다 많이 비참하게 보여.
당신은 과연 행복할까? 그 곁에는 아무도 없는 듯해.

그래서 물어. 돈이 삶의 전부라고 말한 당신의 그 말.
그 말은 여전히 현재진행형인지 진지하게 묻고 싶어.
그러나 당신은 입을 닫고 공허한 시선으로 바라봐.
주변에 남은 사람들. 모두가 떠나고 홀로 남은 자.
늙고 병든 당신의 말로는 가장 비참할 뿐인 거야.

모두가 떠난 자리는 돈으로는 절대 채워지지 않아.
당신의 말로는 늙고 병든 노인의 모습일 뿐이야.
공허한 시선으로 바라보는 것은 과연 무엇일까?
돈이 있어도 절대 행복해 보이지가 않는 듯해.
가장 공허한 시선으로 침묵하는 당신의 말로.

헛된 위로

이별의 상처에 눈물을 흘리는 네게 위로는 필요가 없지.
위로는 헛되고 헛된 말이라는 것을 알기에 나는 침묵해.
지금의 네게 어떤 말도 위로가 되지 않다는 것을 알아.
헛된 위로는 부질없고 무의미하기에 이 침묵을 지켰어.
소주잔을 채우고 비워. 네게 필요한 것은 소주 한잔.

죽도록 사랑했기에 상심이 클 거야. 위로는 필요 없어.
너에게 필요한 것은 헛된 위로가 아니야. 소주 한잔을
채우고 비우기를 반복해. 그저 잊으라는 그런 말 따위
전혀 와닿지 않을 위로라는 것을 알기에 소주잔 채워.
그래. 네게 헛된 위로는 덧없고도 부질없는 것이니까.

나는 보았지. 그 누구보다 뜨겁게 사랑했던 네 모습을.
나는 알았지. 그녀에 대한 사랑이 진심이었다는 것을.
네게 필요한 것은 헛된 위로가 아니야. 소주잔 채워.
술에 취해 붉어진 얼굴로 욕설을 내뱉는 네 입술을
적시는 소주가 그나마 위안이 되리라는 것을 알아.

소주잔을 채우고 비워. 위로의 말은 필요하지 않겠지.
쓸데없는 말로 불필요한 위로하고 싶지는 않아. 그저
이 소주잔을 채우고 비우기를 반복해. 그녀를 욕하는
네 마음에는 미움과 원망이 가득하지만 한동안 너는
괴로운 심정으로 슬픔에 젖어 그리움만 가득하겠지.

소주잔

소주잔을 비우며 너는 그때가 이제는 추억이라고 말했지.
나는 여전히 추억으로 생각하지는 않는다고 말하고 있고.
너는 소주잔을 채우고 비우기를 반복해. 그리고 말했지.
시간이 지나고 나면 모든 것이 추억으로 남는 것이라고.
나는 물을 마시며 말했지. 그건 단지 네 생각인 거라고.

기억은 시간이 흐르고 나면 미화되기 마련이지만 내게는
그때는 여전히 추억이 아니야. 추억이라 부르기가 싫어.
너는 아무렇지도 않은 표정으로 아직도 그 기억 속에서
머물렀냐고 묻지만 나는 그건 아니라고 말해. 넌 웃네.
내 말을 믿지 않는 네게 어떤 말을 해도 들리지 않겠지.

소주잔을 채우기 비우는 너. 잊고 살라는 너의 그 조언.
나도 모르게 헛웃음을 지었어. 이미 아무런 감정 없어.
그것에 연연하고 살아가기에는 세월이 그만큼 흘렀잖아.
길어지는 너의 말. 몇 가지 조언에 짜증스러울 뿐이야.
점점 취해가는 너의 말과 표정에 헛웃음 짓고 말았어.

너는 여전히 내가 그때에 머물러 있다고 생각하나 봐.
그렇게 생각한다면 어쩔 수 없지. 그건 네 생각이니.
소주잔을 채우고 비우는 너는 그 기억을 자꾸 끄집어.
했던 말을 반복하는 넌 이미 취했어. 자리를 정리해.
너는 네 말만 하고 나는 내 말만 하며 자리를 끝냈네.

거짓말

거짓말에는 진정성이 없지. 애초부터 거짓된 말이니까.
어느새 신뢰할 수 없게 된 너를 보며 고개를 가로저어.
아무런 감정도 존재하지 않아. 마음을 비우고 난 후에.
너에 대한 신뢰가 없어. 너는 언제나 거짓멀을 했으니.
신뢰가 없으니 화도 나지 않아. 그냥 그저 그런 거야.

너의 허황된 이야기. 거짓으로 점철된 이야기. 절대로
믿을 수 없는 너의 이야기는 온통 거짓으로 포장됐지.
어느 순간 의문이 드네. 너는 왜 거짓말을 하는 걸까?
문득 떠오르는 것은 자기혐오와 오만. 네 마음속에서
존재하는 것은 그런 건지도 모르지. 거짓말은 이어져.

어느새 길어지는 대화. 그러나 대화는 일방적인 거야.
따듯한 커피를 마시며 형식적으로 듣는 척하는 내게
너는 주구장창 거짓말을 늘어놓지만 신뢰할 수 없어.
어느 순간부터 너는 네 거짓말을 스스로 믿는 듯해.
네가 네 거짓말에 속아 정말 진실이라고 믿는 듯해.

지겨운 거짓말. 처음 만난 그 순간부터 이어진 거짓.
절대 신뢰할 수 없는 너. 거짓이 너의 이면에 숨은
진실인 것만 알겠어. 불신은 불신으로 이어지는 것.
거짓말쟁이. 오직 거짓말만 내뱉는 너의 그 진심은
애초부터 거짓으로 숨겨져 존재하지 않는지 모르지.

감정 표현

절대 쉽게 드러내지 않는 감정. 감정을 숨기고 숨겨.
절대 쉽게 드러내지 않는 감정. 내 감정을 숨기고서
상대를 대해. 감정이 쉽게 드러난다면 약점이 되는
세상인데 어쩌겠어? 살아남기 위해서 어쩔 수 없어.
마음속 감정을 드러내는 것보다 숨기는 게 약이지.

쉽게 드러나는 감정은 독이 되기 마련이지. 나이를
먹을수록 점점 하기 힘든 것이 감정 표현. 덧없지.
가까운 사이가 아니라면 감정 표현을 잘 하지 않아.
내 감정을 숨겨. 쉽게 드러나는 감정은 불필요해.
오히려 약점이 되는 감정 표현은 절대 하지 않아.

당신이 싫고 미운 마음을 절대 쉽게 들키지는 않아.
자칫 잘못하면 역공을 당하기 마련이니까. 그렇게
내 감정을 숨기고 감춰. 감정 표현은 불필요하지.
적어도 나와 당신의 관계에는 말이야. 모두 감춰.
내 감정을 표현하는 대신 딱딱한 어조로 대화해.

내가 무슨 생각을 하는지 모르겠다고 말하는 당신.
내가 무슨 감정인지 알지 못하겠다는 당신에게는
내 감정 따위 필요하지 않아. 필요한 것만 말해.
서로 원하고 필요한 것만 대화해. 그거면 족해.
더 이상의 대화는 의미가 없어. 부질없는 거잖아.

어두운 기억

부정적인 감정. 어두운 기억으로부터 비롯된 그런 감정.
싫음을 넘어선 감정. 미움을 넘어선 분노와 증오에게는
적절한 먹이가 필요해. 세월이 흘러도 옅어지지 않거든.
어두운 기억으로 인한 부정적인 감정이 나를 삼키려 해.
그것에 지배를 당하는 순간부터 나는 나를 잃어가겠지.

어두운 기억. 매우 오래되었지만 그럼에도 선명한 기억.
부정적 감정. 낡고 오래된 감정이지만 여전히 선명해서
당신을 향한 내 마음은 절대로 쉽게 변하지 않을 테지.
나를 잡아먹을지도 모르는 어두운 기억에 먹이를 줬어.
둘 중 하나가 죽어도 쉽게 끝나지 않을 어두운 기억.

죽어야 끝날지도 모르는 어두운 기억. 긴 세월 속에서
질긴 생명력은 절대로 쉽게 죽지 않아. 이게 뭔가 해.
어두운 기억에 따른 부정적 감정이 마음속에 존재해.
그것이 내 마음을 어둠으로 물들게 하지만 그럼에도
나는 이를 어쩌하지 못해. 서서히 나는 검게 물들어.

둘 중 하나가 죽어야 끝나는 걸까? 내가 죽어야 끝날
어두운 기억인 걸까? 세월이 지나면 기억은 망각되고
사라진다는 말은 모든 기억에 해당되는 것은 아니야.
어두운 기억. 부정적 감정. 당신과의 악연을 기억해.
그것은 오랫동안 존재해왔고 앞으로도 존재할 테지.

악연

악연이라면 악연이지. 끊을 수 없는 천륜이라고 말하지만
끝내 무책임하게 도망가버린 당신의 잘못은 변하지 않아.
악연이라면 악연이지. 끊을 수 없는 천륜이라고 칭하지만
끝내 의무와 책임을 버리고 도망간 것은 바로 당신이지.
자기 잘못은 없다고 말하며 비겁하게 도망친 당신이잖아.

혈연은 천륜. 천류는 절대 끊어지지 않는다는 그 말에는
비겁하고 무책임한 도망자에게 해당되지 않는 듯하지만
생판 모르는 누군가는 그래도 천륜이라고 말하며 말려.
당신은 그럴 자격이 없다는 것을 알면서도 그런 걸까?
당연하겠지. 자기가 겪어보지 않은 일이니 절대 몰라.

사람 참 간사해. 악연은 악연이니 끊어야 하지만 끝내
천륜은 천륜이라고 말하면서 나를 달래려는 너의 행동.
그것은 무책임한 말에 불과하다는 사실을 인지했으면
좋겠지만 당사자가 아닌 당신은 이해하지 못할 거야.
내 눈 앞에서 사라졌으면 좋겠어. 악연의 그림자가.

비겁하고 무책임한 도망자의 말로. 스스로 도망가버린
사람에게 존재하는 것은 아무것도 없으니 고개를 저어.
따듯한 커피를 천천히 마시며 나는 끝내 고개를 저어.
악연은 악연일 뿐이야. 스스로 도망친 자에게 결단코
낙원은 존재하지 않으니 끝내 잊고 살아갔으면 하네.

책임지는 것

나의 어두운 이면은 책임의 무게를 가볍하게 하는 것.
나에게 주어진 책임의 무게를 무겁게 하고 싶진 않아.
그래서 나는 의무를 싫어해. 책임을 지기는 싫으니까.
내 어두운 이면은 책임 회피. 그 책임을 지긴 싫어.
자유롭고 싶어. 의무와 책임이라는 이름으로부터.

처음부터 그랬지. 때가 되면 무엇을 해야 한다는 것.
무엇을 어떻게 해야 하고 어떤 것은 어때야 한다는
그런 말을 듣고 싶지 않았어. 이게 책임 회피일까?
내 어깨를 짓누르는 책임의 무게를 지기는 싫었어.
그러니 내게 무언가를 지시하지 마. 난 그게 싫어.

때가 되면 무엇을 해야 하고 또 무엇을 해야 한다는
그런 말이 지겨워졌어. 내게 주어진 의무와 책임이
내 발걸음을 무겁게 해. 책임의 무게를 지긴 싫어.
물론 알고 있지. 내가 정면해서 직시해야 하는 것.
그것을 회피하지는 않지만 책임의 무게가 싫거든.

애써 해야 하는 일을 포기하거나 도망치지는 않아.
단지 그 책임으로부터 자유로워지기를 난 바라네.
책임을 회피하는 것. 어쩌면 내 천성인 것일까?
책임의 무게가 무거워지기 전에 그것을 진행했지.
항상 그랬지. 일이 커지기 전에 마무리하는 것.

의무와 책임

나이를 먹으니 절실히 느껴지네. 의무와 책임의 무게가.
어른이 된다는 것은 의무와 책임의 무게를 감당하는 것.
그것을 하지 못한다면 어린아이와 다르지 않아. 그래.
의무와 책임을 다하는 것. 그 책무가 가볍지가 않아.
어깨를 누르는 의무와 책임에 가슴 한편이 답답해지네.

사는 게 정말 쉽지 않아. 내 눈 앞에서 의무와 책임이
기다리고 있네. 하고 싶은 것이 있어도 도전하지 못해.
의무적인 말과 행동. 책임감을 가져야 한다는 말 뒤에
어느새 지치고 무거운 발걸음. 사는 게 즐겁지가 않아.
사는 게 무엇인가 생각하다가 금세 생각을 음소거했지.

의무와 책임. 내 어두운 이면에 숨겨진 진실한 마음은
그것을 버리고 싶다는 것. 그러나 그러지 못하는 현실.
삶은 언제나 의무와 책임의 연속이니 어쩔 수가 없어.
세상은 언제나 의무와 책임을 성실히 수행하라고 해.
그것이 나의 숙제. 내게 주어진 숙명처럼 존재하잖아.

하고 싶은 것이 있어도 쉽사리 도전할 수 없지. 그래.
그것을 하기에 내 의무와 책임이 절대 가볍지가 않아.
해야 하는 것은 이렇게 많은데 하고 싶은 것은 없어.
아니, 생각조차 하기 쉽지 않아. 미간을 찌푸리고서
의무와 책임이라는 단어가 거슬리고 하기 싫어졌어.

천륜

천륜은 천륜이라고 끝까지 그 인연을 모시라는 당신의
그 무지함에 헛웃음을 지으며 아무 말도 하지 못했지.
천륜은 천륜이기에 절대 끊을 수가 없다고 말하면서도
절대로 타인의 개인사를 이해하지 않으려는 그 태도에
실망을 감추지 못해. 나도 모르게 쓴웃음을 짓고 말아.

참으로 무지하고도 무책임한 말. 천륜이라는 그 말에
당신의 곁에 남은 사람이 과연 누구인지 돌아봤으면.
배우자도 자녀도 떠나고 홀로 남겨진 이유를 물어봐.
붉어진 얼굴로 그걸 왜 묻냐고 따지는 당신의 모습에
허무함이 느껴지네. 결국은 당신도 마찬가지인 거야.

내가 그를 버린 것은 아니야. 그가 나를 버리고 갔지.
천륜은 천륜이라는 말. 가장의 무게를 감당하기 싫어
도망가버린 그에게 천륜을 들어먹이는 당신이 우스워.
타인의 개인사에 아픔이 있다는 것을 이해하지 못해.
그런 당신 곁에는 누가 있는데? 결국 아무도 없잖아.

천륜은 천륜이라는 말. 나는 하늘의 뜻을 믿지 않아.
그것은 철저히 나와 무관해. 천륜은 헛된 단어일 뿐.
스스로 의무와 책임을 버리고 도망간 사람은 여전히
내 탓을 하며 원망하더라. 끝내 잘못을 깨닫지 못해.
천륜을 어긴 건 그 사람이지. 그건 내 잘못이 아냐.

어두운 이면

어색하게 웃으며 손을 건네는 이 순간에 좀 어지러워져.
마치 생판 남과 인사하는 것처럼 어색하게 악수를 하며
자리에 앉아. 한때는 가족이라는 단어로 포장되었던 것.
그 포장은 오래전에 낡고 오래되어 벗겨졌어. 긴 세월
지난 후에 서로가 매우 어색하게 인사해. 생판 남처럼.

사실상 남이나 다름없이. 적어도 우리의 사이는 말이야.
어두운 이면을 살펴보자면 원망과 미움만이 남은 사이.
타인의 시선이 신경 쓰며 애써 웃지만 매우 어색하거든.
절대로 속내를 드러내지 않아. 당신을 신뢰하지 않으니.
어색한 대화가 시작되고 시간은 유독 더디게 흘러가네.

우리 사이의 어두운 이면. 적대적인 마음을 애써 숨겨.
내 마음속 악의를 감추고 드러내지 않기 위해 웃었어.
내 어두운 이면에 칼날처럼 날카로운 감정이 존재해.
타인의 시선에 의한 어색한 웃음. 어색된 대화 끝은
영원한 안녕. 애써 감춘 어두운 이면에 가득한 악의.

힘들게 감췄지. 악의의 칼날을. 법과 도덕이 아니라면
이 칼날은 이미 당신의 심장을 향했을지도 모르겠거든.
애써 속내를 감춰. 당신의 순수하고 강렬한 그 악의의
칼날이 나를 향하고 있다는 것을 알기에 속내를 감춰.
절대적인 악의만 남은 어두운 이면은 살의만이 있어.

무지함

자신의 무지함이 드러나는 순간 약점이 되니 침묵을 해.
자신의 무지함은 감추고 분위기에 맞춰 침묵을 일관해.
솔직함이 약점이 되는 세상인데 무지함은 감춰야만 해.
무지함은 자랑이 아니야. 그것이 곧 약점이 되는 세상.
그것을 감추고 침묵한다면 최소한 중간은 가는 사회야.

무지함을 솔직함으로 포장하면 안돼. 무지는 죄악이야.
무지함을 감추고 적당히 아는 척해. 자신이 모르는 것.
그것을 솔직하게 고백하는 순간 약점이 되기 마련이지.
무지함은 무시를 당하고 약점이 되기 마련인 세상인데
뭐 하러 말해? 무지함은 곧 약점이 되니 철저히 숨겨.

우리의 어두운 이면. 무지함은 일종의 죄가 되어 있어.
무지함은 자랑이 아니지. 그것을 드러낼 필요는 없지.
솔직함이라는 단어로 포장하지 마. 무지함은 절대로
자랑이 아니야. 침묵을 지켜. 적당히 분위기에 맞춰.
솔직함으로 포장된 무지함은 어리석음일 뿐이니까.

알아도 모르는 척. 봐도 보지 못한 척. 모두가 알지.
알아도 모르는 척하는 것과 무지함의 근본적인 차이.
자신의 무지함을 드러내는 순간 독이 되어 돌아와.
절대로 드러내지 마. 침묵이 금이 되는 무지함이야.
약점 잡히는 순간부터 평등함은 금세 무너지고 말아.

침묵의 금

침묵이 금이라는 말. 그 말에 동의해. 나는 침묵을 지켜.
침묵이 금이라는 말. 그 말에 공감해. 나는 침묵을 지켜.
당신의 뒷담화에 나는 침묵해. 누군가를 공격하는 말에
침묵하며 내 의사를 밝히지 않아. 침묵이 곧 금이니까.
이 침묵은 긍정도 부정도 아니야. 그 중간에 존재해.

누군가를 험담하는 것. 누군가를 뒷담화하며 욕하는 것.
그것에 동조하지 않아. 침묵은 금이라는 것을 깨달았어.
함께 험담하는 순간부터 당신과 나는 같은 편. 그러나
그것이 이내 독이 되어 돌아온다는 것을 알기에 침묵.
뒷담화의 대상자가 아는 순간부터 나도 똑같은 사람.

침묵의 금. 이 귀한 금을 지키기 위해서 침묵을 지켰어.
긍정도 부정도 하지 않아. 대화에 귀를 기울이고 있어.
단지 나는 들어주는 자. 그 어떤 동조도 하지 않을래.
나의 의견은 어디까지나 주관적인 의견. 그것이 절대
정답이 될 수 없다는 것을 알기에 침묵의 금을 지켜.

형식적인 말

언제 밥이나 먹자는 말. 시간이 되면 커피나 마시자는 말.
형식적이 인사말에 나는 긍정도 부정도 하지 않고 지나쳐.
어차피 형식적인 말이지. 이런다고 달라지는 것은 없었지.
형식적인 인사말. 절대로 지켜지지 않을 말은 약속 아냐.
그저 지나가는 말로 우리는 서로를 지나치고 멀이지잖아.

식사와 커피 약속. 그것은 약속이 아니야. 형식적인 말에
의미를 부여할 필요는 없지. 그런 말한다고 달라지는 건
어떤 것도 없어. 형식에는 실리가 없지. 그냥 그런 거야.
어차피 하지도 않을 형식작인 말. 그건 인사말과 똑같아.
누구도 지키지 않을 뻔한 말. 그건 약속에 속하지 않아.

아무런 의미가 없지. 형식적인 말은 그저 형식일 뿐이니.
그저 덧없는 말이지. 형식적인 말은 그저 인사말인 거야.
그것에 아무런 의미가 없어. 덧없고도 부질없는 인사말.
그것에 의미를 부여할 필요는 없아. 덧없고도 무의미해.
네 말에 긍정도 부정도 하지 않고 침묵하며 고개 돌려.

어차피 다시 만날 일은 많지 않겠지. 마주칠 때마다 해.
드물게 우연히 만나면 언제나 식사와 커피 약속을 하지.
어차피 형식적인 말. 어차피 형식적인 인사말. 덧없지.
무의미한 것에 연연하지 않아. 그런 것는 덧없는 거야.
긍정도 부정도 하지 않고 나는 내 갈 길을 걸어가네.

긍정과 부정

긍정과 부정은 서로 상반되는 단어가 아니야. 함께 공존해.
긍정도 부정도 하지 않는 우리 사이에는 아무런 감정 없지.
생판 남과 같은 우리의 관계는 긍정도 부정도 하지 않았어.
친구라는 단어. 남이나 다름없다는 말. 그 어떤 말도 그래.
그래. 덧없고도 부질없는 관계에 긍정도 부정도 하지 않아.

막상 생각해보면 긍정과 부정은 상반되는 단어가 아니었어.
긍정도 부정도 하지 않는 관계. 서로 남이 아니기에 하는
그런 관계에 무슨 의미가 있겠니? 애써 듣지 못한 척하며
서로가 서로를 외면해. 친구라는 말과 아예 남이라는 말.
이 모든 말을 긍정도 부정도 하지 않으며 그저 그렇게.

우리 사이에는 아무것도 없어. 그냥 그런 거야. 안 그래?
긍정도 부정도 하지 않아. 가깝지도 멀지도 않은 관계에
어떤 의미를 부여할 필요는 없어. 그런 것은 부질없으니.
인간의 어두운 이면. 형식적인 관계를 맺어도 그 깊이는
절대로 존재하지 않는 것을 알기에 긍정과 부정은 함께.

애써 모른 척하고 내 갈 길을 걸어. 그저 침묵을 지켰어.
긍정도 부정도 하지 않는 사이. 사실 아무 사이도 아냐.
친구도 아니고 생판 남도 아닌 것. 어중간한 이 사이에
아무런 의미도 부여하지 않기에 긍정도 부정도 안 할래.
우리의 어두운 이면. 서로가 긍정도 부정도 하지 않아.

어두운 이면

인간의 마음에 숨겨진 어두운 이면. 그것을 나는 보았지.
인간의 어두운 이면을 알기에 불신해. 그 이면의 어둠을
이미 오래전에 깨달았기에 나는 당신을 신뢰하지 못해.
거짓된 말과 행동. 눈에 훤히 보이기에 신뢰는 덧없지.
그래. 어두운 이면을 알기에 나는 사람을 믿지 않아.

자신의 안위와 이익을 위해 수시로 하는 거짓된 행동에
나는 신뢰하지 못하겠어. 이기심은 인간의 본능이니까.
나라고 무엇이 다르겠냐마는 타인을 신뢰하지 못하지.
언젠가는 진심이 통하리라는 헛된 망상을 하지 않아.
우리의 어두운 이면. 그것을 알기에 신뢰하지 못해.

누구를 믿는다는 것. 그것은 참으로 덧없고도 부질없지.
내가 누구를 믿어야 하는지 묻고 싶어. 세상에 믿을 건
오직 자기 자신뿐이야. 인간의 어두운 이면에 존재하는
그것은 본질적인 거니까. 세상에 믿을 사람 하나 없지.
오직 자기 자신을 등불 삼아 인생을 살아가야만 하지.

인간의 어두운 이면. 마음속에 존재하는 어두운 이면이
서로가 서로를 불신하게 만들지. 인간이라는 존재에는
언제나 어두운 이면이 존재하기 마련이니 믿지를 못해.
타인을 신뢰하기는 어려워. 나는 오직 나만 믿어왔고
타인에 대한 신뢰는 언제나 그렇듯 일종의 연기였어.

이면

당신의 이면에는 무엇이 있는지 몰라. 오직 당신만이 알지.
당신의 이면에는 무엇이 존재하지는지 그 누구도 모르겠지.
오직 당신만이 아는 본질. 타인의 속내를 알 수가 없으니
함부로 속단할 수 없어. 그렇기에 더욱 신뢰하지를 못해.
서로가 서로의 이면을 알 수가 없으니 자연스러운 현상.

가족도 친구도 긴 세월이 흐르면 자연스레 멀어지기 마련.
혈연으로 엮이는 가족이라도 해도 그 이면을 알 수 없어.
천륜이라고 말하는 그 관계도 그런데 우정이라고 다를까?
아무리 친해도 절대 알 수 없는 속내. 그 이면을 알기에
나는 나만 믿고 살아가. 인간의 이면은 누구도 모르거든.

내 이면에 존재하는 것. 그것을 정면해서 마주한 순간에
나는 깨달았지. 인간의 이면은 오직 자기 자신만이 알아.
아무리 가깝도 친하더라도 끝내 알 수 없는 그 이면에는
무엇이 존재하는지 오직 자기 자신만이 알아. 침묵했어.
그 이면을 알지 못하니 내 마음을 철저히 숨기고 침묵.

그래. 세상에 믿을 사람 하나 없다는 말. 나도 마찬가지.
나를 믿으라는 말은 하지 않을래. 내 이면은 감춰졌으니
타인의 이면도 알 수 없어. 스스로가 아는 그 이면에는
어두운 진실이 숨겨졌으니 신뢰하기 어려운 세상살이야.
그래. 서로의 이면은 그렇게 스스로 감추고 숨기잖아.

지루한 하루

지독히도 지루한 하루. 그저 그런 일상. 매일이 똑같아.
지독히도 무료한 하루. 그저 그런 일상. 매일이 동일해.
무엇을 해도 즐겁지가 않아. 지루한 표정은 무표정해.
지루하고 무료한 기분으로 이 시간이 지나가기를 바래.
거북이처럼 느릿느릿한 시간에 지루함은 더욱 깊어져.

뜨거운 아메리카노를 천천히 마시며 조금은 멍하니 봐.
쓰디쓴 커피의 맛과 향이 내 입을 적시지만 조금 멍해.
내 이면에 잠재된 지루함이 어느새 나를 지배하려 해.
무엇을 해도 그다지 즐겁지 않은 하루가 매일 반복돼.
이 시간이 지나고 나면 나는 과연 무엇을 해야 할까?

누구를 만나도 똑같아. 무엇을 해도 똑같아. 내 안에
잠재된 지루함이 내 모든 것을 지배하는 것 같은 날.
오랫동안 그래왔어. 문득 회의감이 느껴지는 시간은
아주 느리게 흘러가고 있고 그저 멍하니 바깥을 봐.
바쁘게 움직이는 사람들. 내 시간만 느리게 가나 봐.

꽤 오래됐어. 겉으로 표현하지 않는 지루함. 이것을
애써 숨기려고 하지만 티가 나는 감정에 그저 하품.
무엇을 해도 즐겁지가 않은 일상에 모든 게 지루해.
지친 하루의 끝에서 사는 게 과연 무엇인가 싶어져.
내 마음에는 지루함만이 남아 사는 것이 그저 그래.

무료한 일상

무료한 일상에 웃을 일 전혀 없지. 어디에서든지 무표정해.
당신은 나를 부르며 왜 이렇게 웃지 않는지 물어보았지만
그냥 그렇다고 했지. 특별한 이유는 없어. 그냥 좀 그래.
당신에게 말을 해. 내가 굳이 웃고 다녀야 하는 이유가
반드시 있어야만 하는 거냐고. 잠깐의 침묵에 어색해지네.

무료한 일상에 절대로 웃지 않아. 웃을 일 전혀 없으니까.
철저히 무표정한 얼굴로 무료함에 젖어서 해야 하는 것을
진행하고 있어. 여느 때와 마찬가지로 일을 하는 것인데
굳이 웃을 이유는 없지. 무료한 일상에 무표정한 얼굴.
굳이 웃어야 할 이유가 없으니 웃지 않아. 그게 어때서?

왜 웃지 않냐는 질문. 굳이 웃을 일이 없으니 무표정해.
무료한 일상에 즐거움은 없어. 일에는 아무 지장 없지.
아무런 지장이 없다면 귀한 시간 낭비하지 말고 일해.
내게 주어진 의무와 책임. 그것을 착실히 진행하잖아.
그게 뭐가 문제인데? 무료함에 젖어 회의감이 느껴져.

지극히 무료한 일상에 웃을 일이 없기에 무표정해졌지.
무료함에 젖었지만 내가 할 일을 게을리 하지는 않아.
아무런 문제가 없지. 그러니 나를 붙잡고 묻지는 마.
업무와는 무관한 질문할 시간이 각자 할 일을 해야지.
무료한 일상을 사는 내게 웃지 않는 이유를 묻지 마.

늙고 병든

늙고 병든 노인은 공허한 시선으로 이 자리를 지키고 있다.
형편이 어려운 노인은 줍던 폐지를 정리하고 작은 벤치에
홀로 앉아 저 회색빛 하늘을 감상한다. 늙고 병든 노인은
몹시 지친 표정으로 삶의 끝을 향한 여정을 홀로 걷는다.
오직 나만이 이곳에서 늙고 병든 노인의 뒷모습을 봤다.

늙고 병든 노인은 어려운 형편이 폐지와 공병을 주우면서
생활하고 있다. 공허한 시선으로 저 회색빛 하늘을 보는
노인의 모습이 지독하게 쓸쓸히 느껴져 나는 침묵한다.
도울 수 있는 것은 아무것도 없다. 나는 그저 침묵한다.
늙고 병든 노인은 어찌하여 저리도 쓸쓸하다는 말인가?

노인은 기침을 하며 고통스러워한다. 늙고 병든 노인의
뒷모습에 나는 차마 어떤 말도 할 수 없어 침묵을 한다.
노인에게 필요한 것은 무엇일까? 내가 알 수 있는 것은
동정심 따위가 아니라는 것이다. 이윽고 떨어지는 것.
조금씩 떨어지는 비에 노인은 힘겹게 걸음을 옮긴다.

우리 사회의 어두운 이면. 저렇게 힘든 노인의 모습을
누구 하나 관심을 가지지 않는다. 누구나 저렇게 늙고
언젠가는 혼자 남겨지기 마련이지만 무관심한 사회다.
나는 그저 침묵한다. 나라고 타인과 무엇이 다를까?
내가 할 수 있는 것은 아무것도 없다. 그저 침묵한다.

회색빛 하늘

회색빛 하늘에 금방이라도 빗방울이 떨어질 것 같은 날씨.
조금은 멍하니 유리창 너머를 바라보며 깊은 한숨을 쉰다.
뜨거운 아메리카노를 천천히 마시는 이 시간에 모든 것이
허무한 마음은 왜 그러는 걸까? 나도 알지 못하는 감정에
차마 어떤 말도 할 수 없다. 나는 회색빛으로 물들어간다.

내 심정은 회색빛 하늘이다. 무언가 허무한 마음에 내 안
모든 것이 텅 듯하다. 이 감정의 원인을 나는 모르겠다.
뜨거운 아메리카노를 천천히 마시며 잠시 눈을 감는다.
이윽고 쏟아지는 소나기. 나는 허무함에 사로잡혔다.
나는 회색빛 하늘처럼 울고 싶다. 눈물은 흐르지 않는다.

지나간 세월이 파나로마처럼 떠오른다. 그러나 이면에는
어두운 감정만이 존재한다. 내게 행복했던 때가 있던가?
내 마음의 이면에는 어두운 감정만이 남아 텅 빈 채로
아무것도 없다. 나는 회색빛 하늘처럼 그저 울고 싶다.
그러나 눈물은 흐르지 않는다. 내 모든 것이 멈춰섰다.

나는 허무하다. 이 허무함의 까닭을 나는 알지 못하겠다.
나는 공허하다. 텅 빈 마음에 어두운 기억이 떠오른다.
눈물조차 흐르지 않는 슬픈 감정에 자꾸만 괴로워진다.
그저 이 뜨거운 아메리카노를 마시며 깊은 한숨뿐이다.
나는 회색빛 하늘이다. 그러나 눈물은 흐르지 않는다.

어두운 이면

내 어두운 이면에 숨겨진 악의. 악의의 칼날은 날카롭다.
가장 순순한 악의를 품고 칼날을 숨기는 내 마음속에서
존재하는 감정을 숨기고 감춘다. 내 안위와 이익을 위해
지금은 고개를 숙이지만 어두운 이면에 존재하는 칼날이
언제든지 당신을 향하리라. 이 칼날은 어두운 이면이다.

어두운 이면에 숨겨진 악의의 칼날. 이 칼은 날카로워서
언제든지 당신을 겨냥할 것이다. 그러나 지금은 숨긴다.
당신을 향한 악의를 드러낼 이유가 없다. 그저 그렇다.
내 어두운 이면에 숨겨진 감정은 당신을 향한 것이다.
당신과 나의 갈등과 반목으로 존재하는 칼날을 숨긴다.

사실은 알고 있다. 서로가 서로에게 숨기즌 그 이면에
숨겨진 악의의 칼날을. 언제든지 서로를 겨냥할 칼날.
인간의 어두운 이면에 숨겨진 악의의 칼은 날카롭다.
서로가 서로를 죽일 수 있는 이 악의의 칼을 숨기고
절대로 속내를 드러내지 않는다. 당신도 마찬가지다.

누구나 자신의 어두운 이면을 쉽게 드러내지 않는다.
자신의 어두운 이면에 존재하는 악의의 칼날을 보라.
그것은 가장 순수하기에 드러내지 못하는 칼날이다.
자, 보라. 자신의 어두운 이면을 감추고 악의 섞인
칼날이 언제든지 서로를 겨냥할 수 있다는 사실을.

불신

절대 믿을 수 없는 것. 불신할 수밖에 없는 것. 그래서
절대 가까워질 수 없는 우리 사이에 존재하는 불신이여.
어느 순간부터 존재하는 불신은 이 관계를 멀어지게 해.
서로가 서로에게 주지 못한 것은 신뢰뿐만이 아니였어.
서로의 악감정이 어느새 악의가 되고 불신이 되었잖아.

우리 사이에 존재하는 불신. 서로가 서로를 믿지 못해.
갈등과 반목을 거듭하여 탄생한 불신은 믿음이 없기에
우리 관계는 회복할 수 없어. 어느 순간부터 멀어지고
절대 신뢰할 수 없게 된 당신과 대화는 존재하지 않아.
무슨 말을 해도 믿을 수 없는 당신에게 할 말은 없지.

내가 무슨 말을 해도 믿지 못하겠다는 당신. 그렇기에
나는 아무 말도 하지 않아. 어차피 믿지 못할 거라면
애초에 어떤 대화도 소용없지. 그건 나도 마찬가지야.
당신이 어떤 말을 해도 불신할 수밖에 없어. 믿음은
개인의 선택이지만 불신은 절대적으로 바뀌고 있어.

서로가 서로를 불신해. 도무지 믿지 못할 그런 관계.
절대 회복할 수 없는 관계는 이미 오래전에 끝났지.
불신자에게 믿음을 강요하지 마. 그것은 덧없잖아.
서로가 서로를 불신하는데 회복은 존재하지 않아.
불신자에게 신뢰는 애초부터 존재하지 않는 거니까.

이면

그 누구도 모르지. 내 이면에 숨긴 진의를 누구도 모르지.
그 누구도 모르지. 내 이면에 숨은 진의를 누구도 모르지.
굳이 말할 필요는 없지. 누구나 어두운 이면이 있기 마련.
자신의 어두운 이면을 드러내는 순간부터 약점이 되잖아.
솔직함이 약점이 되어 공격당하기 십상이라서 모두 숨겨.

자신의 과거를 말하는 것. 그것은 금물이 되는 이 세상에
믿을 사람은 극히 드물어. 나는 내 이면을 드러내지 않아.
철저히 나를 숨기고 연기해. 무대 위 연기자처럼 연기해.
내 속내를 드러내는 순간부터 약점이 되기 마련인 세상.
그것을 알기에 나는 내 이면을 절대로 드러내지는 않아.

내가 감추는 것. 내가 숨기는 것. 내 이면에 감춰졌기에
절대 드러내지 않는 것. 그것을 말하는 순간부터 당신은
악의를 드러내. 그것이 나를 공격할 것을 알기에 연기해.
나는 인생이라는 무대 위에서 철저히 나를 감추고 숨겨.
그 누구도 모르는 나의 이면은 결말에서 나올 예정이야.

절대로 말하지 않는 것. 그 누구도 말하지 않으려는 것.
이면에 숨겨진 그것은 누구도 알지 못해. 나만 아는 것.
솔직히 말하라는 그 말에 숨겨진 진의를 드러내지 않아.
내 이면을 드러내는 순간부터 그것은 약점이 되는 세상.
이런 세상에 내 이면을 드러낸다면 어리석은 선택이지.

인간의 이면

인간은 누구나 어두운 과거를 숨기고 자신의 안위를 위해.
인간은 누구나 이면이 있기에 진실된 마음을 숨기고 산다.
인간의 이면에 있는 진실은 아름답지 않는 진실일 뿐이다.
오히려 추악하기 그지없는 인간의 이면을 안다면 이윽고
인간에 대한 회의감이 남으니 나는 그 이면을 외면한다.

나는 너의 이면을 보았다. 술에 잔뜩 취해 드러낸 이면이
드러난 그 순간부터 추악함이 느껴지니 구토감이 들었다.
나는 인간의 이면을 목격했다. 너라는 사람의 이면에는
지극히 순수하고 강렬한 악의가 존재하니 추악한 짐승.
그러나 나도 너와 다르지 않다는 것을 깨닫고 느낀다.

인간은 본질적으로 거기서 거기다. 나라고 뭐가 다를까?
너의 추악한 이면을 보았으니 역겹기 그지없지만 내게
숨겨진 이면 또한 너와 그리 다르지 않을 것을 알기에
침묵한다. 술에 깨서 실수한 것은 없는지 묻는 너에게
아무렇지도 않은 척한다. 나는 너의 이면을 묻고 있다.

인간의 추악한 이면을 보았다. 너의 추악한 이면에서는
순수한 악의만이 존재한다. 그러나 나라고 뭐가 다를까?
나라고 너와 무엇이 다를까? 나는 애써 침묵을 지킨다.
인간은 거기서 거기라는 것을 알기에 긴 침묵을 한다.
나는 인간의 이면에 숨겨진 추악함에 그저 침묵한다.

인간의 감정

인간의 감정은 수시로 바뀌기 마련이니 같을 수가 없다.
인간의 감정은 언제나 변화하기에 항상 같을 수는 없다.
당신은 화가 난 목소리로 내게 불만을 토로하지만 끝내
이 감정은 오래가지 않아 사라질 것이라는 것을 안다.
하지만 쉽게 드러나는 감정에 마음의 문은 곧 닫힌다.

쉽게 화를 내고 분노하는 당신의 태도가 실망스러워서
거리를 둔다. 이런 내가 잘못된 것인가? 그건 모른다.
인간의 감정은 수시로 변하기 마련이다. 그 변화에는
일정함이 없으니 시간이 지날수록 문을 닫히고 만다.
당신은 인간이다. 그 감정은 수시로 변하고 바뀐다.

지나치게 감정적인 당신에게 무슨 말을 할 수 있을까?
쉽게 화를 내고 분노하는 당신에게 나는 입을 닫는다.
인간의 감정은 쉽게 변하고 달라지기 마련인 거지만
너무나도 쉽게 변하는 당신의 감정에 나는 침묵한다.
그것에 일일이 맞춰 행동하고 싶지 않아 침묵한다.

나는 침묵한다. 인간의 감정은 수시로 변화하는 것.
그러나 너무 쉽게 화를 내고 분노하는 당신의 태도.
그것에 일관성은 없으니 나는 당신과 점점 멀어져
끝내 마음의 문을 닫고 말았다. 나는 보고 말았다.
수시로 변화하는 감정에 모순점을 깨닫고 말았다.

어쩌다 보니

항상 자신만만하고 당당했던 네 태도는 어디로 사라졌을까?
기가 죽은 표정으로 쩔쩔매는 네 모습에 쓴웃음을 지었어.
어쩌다 보니 몰락해버린 너는 쩔쩔매고 고개를 푹 숙이네.
자신감이 넘치던 태도는 어디로 가고 이렇게 되고 말았네.
돈이 곧 갑인 세상이라며 말하던 너는 스스로 몰락했지.

너는 돈이 가장 큰 힘이고 권력이라며 말했지. 지금 네게
필요한 것은 돈이 전부는 아닌 듯하지만 말이야. 어느새
경제적 몰락으로 기가 죽은 표정으로 쩔쩔매는 너를 봐.
스스로 무너진 너는 자신감을 상실하고 고개를 푹 숙여.
어쩌다 보니 그렇게 됐다는 네 말은 믿음이 가지 않아.

손을 대지 말아야 하는 것. 그것에 손을 댄 결과가 너야.
돈이 곧 빛이라는 너는 빚만 남았지. 고개를 푹 숙이며
도와달라고 말하는 네 행동에 실망을 감추지 못했거든.
스스로 경제적인 몰락을 자초한 너의 그 오만함에 결국
아무도 남지 않았잖아. 네게 필요한 것은 돈만이 아냐.

스스로 몰락을 자초한 것은 바로 너 자신. 어쩌다 보니
이렇게 되었다고 말하며 어려운 사정을 말하는 너에게
내가 해줄 수 있는 것은 아무것도 없어. 실망을 했지.
언제나 당당했던 그 시절의 오만함은 어디로 사라졌니?
혼자 남아 기가 죽은 채 쩔쩔매는 네 모습에 실망했어.

탐욕스러운

입으로는 돈에 대해 욕심이 없다고 말하지만 사실은 아냐.
말로는 돈에 그다지 관심이 없다고 말하지만 사실은 아냐.
내 이면에 존재하는 것은 돈에 대해 탐욕스러운 마음이지.
돈에 대해 욕심이 없다는 말. 그것은 거짓말일 뿐이었어.
솔직히 말할게. 돈에 욕심이 없다는 말은 거짓말인 거야.

탐욕스러운 사람으로 보이기 싫어서 거짓말했어. 내 이면.
그것에 존재하는 것은 돈에 대한 욕심. 그것이 없다는 건
거짓말이야. 나라고 너와 다르겠니? 돈을 원하고 바랬어.
탐욕스러운 모습을 보이기 싫어서 하는 거짓말. 그 말에
진심은 없어. 나도 많은 부를 가지고 누리고 싶은 거야.

솔직히 말해서 돈 욕심이 없는 사람이 과연 얼마나 될까?
돈에 대해서 아무런 욕심이 없다는 말을 나는 믿지 않아.
자신의 탐욕을 드러내기 싫어서 하는 거짓말. 난 보았지.
지나친 탐욕으로 무너진 수많은 사람들. 내 탐욕을 감춰.
스스로 탐욕스럽지 않은 척 연기하고 내 이면을 감췄어.

돈에 대한 욕심. 그것이 없다면 거짓말. 내 이면에 숨은
돈에 대한 탐욕은 존재해. 탐욕스럽게 보이기 싫은 나는
애써 돈에 구애받고 싶지 않다고 거짓말을 하지만 사실
그것이 없다면 거짓말이겠지. 애써 나를 숨기고 감춰.
탐욕스러운 모습으로 비추기 싫어서 이 거짓말을 했지.

욕심

욕심이 없다면 거짓말. 부와 명예에 대한 욕심을 숨겨왔어.
욕심이 없다면 거짓말. 부와 명예를 원하지 않는다는 말은
사실 거짓말이야. 내 이면에 숨겨진 욕심은 여전히 존재해.
그것 자체를 부정하고 싶지 않지만 드러내지 않고 싶었어.
그런 사람으로 보이기 싫어 나 자신을 속이고 너를 속여.

아무런 욕심이 없다는 말. 그것은 누구나 하는 거짓말이지.
솔직히 말해서 욕심이 없다면 이 자리까지 오지도 않았어.
아무런 욕심이 없다는 말. 누구나 욕심을 가지고 살아가네.
단지 드러내지 않는 것. 단지 드러낼 필요는 없는 거라서
나는 욕심을 숨기고 감추며 애써 드러내지 않았던 거야.

사람이라면 누구나 가지고 있는 욕심. 그게 무엇일지라도
욕심 자체는 누구나 가지고 있어. 나는 내 이면을 숨겼어.
부와 명예에 대한 욕심. 그것이 아예 없다면 거짓말이지.
그러나 굳이 드러낼 필요는 없기에 숨기고 감춘 거였어.
그래. 나라고 너와 다르지 않아. 인간은 누구나 똑같아.

욕심을 드러내는 것. 그것을 드러내는 순간부터 경쟁이지.
그것을 더 많이 차지하기 위해서 욕심을 부리고 치열하게
다투고 경쟁해. 애써 내 이면에 숨겨진 욕심을 감추고서
한 걸음 물러난 이유. 그 치열한 경쟁에 지친 내 마음은
사실 여전히 욕심이 존재해. 이를 부정할 생각은 없어.

거짓말

모두 거짓말이지. 당신이 내뱉은 모든 말은 거짓말이야.
전부 거짓말이지. 당신이 했던 모든 말을 거짓말이었어.
당신의 이면에 숨겨진 것은 진실이 아니야. 그 모든 게
거짓말로 들통난 이 순간에도 위기를 모면하고는 당신.
여전히 거짓말을 하는 당신을 절대 신뢰할 수가 없어.

온통 거짓말뿐이네. 지금까지 살아왔던 세월과 그 삶이.
전부 거짓말이었어. 여태껏 이어져왔던 기억의 전부가.
모든 것이 거짓말이었어. 당신이 했던 그 모든 말에는
진실이 없어. 우리의 사이에 신뢰는 존재할 수가 없지.
어느 순간 자기 거짓말에 자기 스스로가 신뢰하는 중.

처음부터 믿음은 없었지만 배신감이 드네. 그 모든 게
결국에는 거짓말이었다는 사실에 순간 어지러워졌어.
애초부터 신뢰하지 않았지만 그 모든 말이 거짓으로
점철된 헛된 것이었다는 사실이 도무지 믿기지 않네.

어느 순간 자기 스스로 내뱉은 거짓말을 믿기 시작해.
당신은 당신의 거짓말에 스스로 속아 거짓을 신뢰해.
당신과의 관계는 이 자리에서 마무리해야겠어. 그래.
모든 것이 거짓말이었어. 숨쉬는 모든 것이 거짓말.
처음부터 신뢰는 없었지만 이 정도일 줄은 몰라거든.

거짓말쟁이

당신의 어두운 이면. 삶 자체가 거짓말쟁이인 당신의 곁에
지금 누가 있는 건지 모르겠지만 참으로 안타까운 일이지.
당신의 숨겨진 진실. 거짓된 세월을 살아왔던 거짓말쟁이.
모든 것이 거짓말이야. 숨쉬는 것 빼고 전부 거짓말이지.
그런 당신의 곁에 누군가 있다면 참으로 불쌍한 거겠지.

당신의 숨겨진 비밀. 삶 자체가 거짓말쟁이. 그 진실마저
스스로 부정하는 당신의 모습이 싫어서 관계를 끊었거든.
한때는 특별한 관계였던 우리 사이는 어느새 절연을 했지.
숨쉬는 것 빼고 전부 거짓말이야. 당신의 어두운 이면을
깨닫는다면 그 누구도 가까이하지 않을 거짓된 그 인생.

가족이라는 단어로 불렀던 관계. 거짓말쟁이에서 그것은
아무런 의미가 없었던 거야. 우리가 절연한 이유는 그래.
스스로가 내뱉은 거짓말을 스스로가 맹신하는 당신에게
그 거짓말은 진실일지도 몰라도 거짓은 진실이 아니야.
거짓말쟁이. 절대로 신뢰할 수 없는 거짓말쟁이의 삶.

당신의 곁에 누군가 있다면 그 사람이 불쌍해. 거짓으로
삶을 살아왔던 그 삶에 진실이 있다면 거짓말쟁이라는
그 사실 하나뿐이겠지. 그런 당신이 불쌍하지도 않아.
단지 당신의 곁에 있을 그 사람이 불쌍한 것뿐이니까.
거짓말쟁이는 스스로를 속이며 그를 진실이라고 믿어.

욕망

자신의 욕망을 서슴없이 드러내는 너는 오히려 솔직하지.
자신의 욕망을 감추고 안위와 이익을 위해서 악용하려는
사람을 질타해. 욕망을 서슴없이 드러내는 것이 차라리
솔직해서 좋다고 말하는 사회에 나는 그저 침묵을 했지.
욕망을 드러내는 것과 감추는 것. 무엇이 나쁜 것일까?

정답이 없는 질문. 인간의 욕망은 당연해. 그 욕망마저
탐욕이라고 질타하는 것이 문제. 누구나 욕망은 있기에
나는 그에게 뭐라고 할 생각이 없어. 나도 마찬가지야.
사람의 욕망. 누구나 자신의 욕망이 있기 마련이니까.
그 욕망을 질타할 수 없어. 누구나 욕망이 존재하니까.

자신의 욕망을 서슴없이 드러내는 사람. 그 사람을 봐.
차라리 솔직해서 욕망을 감추는 사람보다는 더 좋다고
말하는 당신에게 할 말이 없어. 욕망이란 원래 당연해.
당신도 욕망을 가지고 있잖아. 그것을 드러내지 않는
사람은 음흉하다고 질타하는 당신의 모순적인 언행.

욕망은 누구나 가지고 있어. 그것을 난 드러내지 않아.
자신의 욕망을 서슴없이 드러내는 것은 본인의 자유야.
그러나 욕망을 감추는 사람은 음흉하다고 말하는 당신.
그런 당신도 욕망을 감추고 살아가는 모순을 보이잖아.
나는 모순된 당신의 말에 할 말이 없기에 침묵을 해.

솔직함

솔직한 사람이 좋다면서 자신의 속내를 드러내는 당신에게 특별히 하고 싶은 말이 없어. 아무렇지도 않게 말을 하는 당신과 어느 순간부터 멀어지고 있는 이유는 솔직함이지. 그래. 솔직한 것이 좋다며 아무렇지도 않게 말을 내뱉는 당신의 무례함은 이미 오래전부터 선을 넘고 있었으니까.

솔직한 사람이 되고 싶다며 자신의 생각을 드러내는 당신. 그러나 솔직함과 무례함은 한 끗 차이. 선을 넘는 당신을 좋아하지 않아. 솔직함과 무례함을 구분하지 못하는 것이 과연 좋은 일일까? 스스로 인지하지 못하는 그 무례함이 당신과의 거리를 멀어지게 만들어. 무례함이 선을 넘었네.

솔직함이 좋다면서 자신의 생각과 감정을 드러내며 내게 막말 아닌 막말는 언행은 무례하기 그지없지. 선을 넘어 상대방의 감정을 존중하지 못하는 당신의 천박한 언행이 우리 사이에 금을 가게 했어. 거리를 두자 멀어지는 것. 그 솔직함이 독이 되어 당신의 이미지는 이미 추락했지.

때로는 역겹기 그지없네. 솔직함이라는 단어로 포장했지. 당신의 천박한 천성을. 무례하기 그지없는 당신의 언행. 그것이 솔직함으로 포장된다면 차라리 침묵이 약이겠지. 불쾌한 당신의 말과 행동이 싫어서 나는 당신을 멀어져. 솔직함이 오히려 독이 되어 당신의 이미지는 금이 갔지.

인간의 본능

자신의 업적을 과도하게 부풀리며 타인을 과소평가하는 것.
그것은 인간의 본능인지 궁금하지만 차마 묻지 못하는 것.
자신의 능력이 뛰어나서 그 일을 해결한 것처럼 포장하는
당신의 이면에는 자만과 오만함이 잠재된 것이 훤히 보여.
안타깝게도 그것이 당신의 본능. 그건 인간의 본능인가?

타인을 평가절하하고 자신이 대다한 것처럼 말하는 당신의
능력은 그리 대단한 것이 아니라는 것을 나는 보고 말았지.
정작 중요한 것은 하지 못하면서 타인에게 미루는 당신의
능력은 과연 뛰어난 걸까? 당신을 도운 사람들의 능력이
탁월했기에 당신이 성공할 수 있었다는 것을 나는 알았지.

자신을 과대평가하는 것. 자신의 능력과 업적을 과자처럼
과대평가하는 것. 그것은 과연 인간의 본능인지가 궁금해.
타인의 도움이 없었다면 절대 도달하지 못했을 결과마저
모든 것을 혼자서 달성한 것처럼 말하는 당신을 보았지.
그것은 인간의 본능인가? 당신이라는 사람의 본능인가?

실력이 곧 최고라고 말하는 당신은 업적을 스스로 포장해.
자신의 능력이 뛰어난 것처럼 말하는 당신의 이면에 숨은
그것은 자만과 오만. 당신을 도운 사람들의 입장은 과연
어떤지 묻고 싶지만 입을 닫았어. 그건 인간의 본능인가?
자신을 포장하고 타인을 평가절하는 것이 과연 그러한가?

과소평가

타인을 과소평가하다가 큰코다쳐. 자만하다가는 크게 다쳐. 겸손한 척하며 일부로 실력을 감추는 그 사람에게 당신은 사실 아무것도 아니야. 정작 중요한 일 앞에서 당황하는 당신의 실력은 어디에 있는데? 타인을 과소평가하다 결국 자포자기하며 아무것도 하지 못하는 당신은 오만한 거야.

타인을 인정하고 겸손한 것. 그게 미덕이지. 자신의 능력. 자기 주제를 알고 타인과 적절히 조율하고 타협하는 자세. 그것이 당신이 하려는 일의 성패를 결정할 거야. 그러나 타인의 능력을 과소평가하며 자신이 대단한 것처럼 하는 당신은 자만하며 오만함에 잠겨서 스스로 무너지고 있어.

나는 타인을 과소평가하지 않아. 인간의 잠재력은 무한해. 지금은 부족해 보여도 그 꽃이 피어날지도 모르는 거잖아. 타인을 함부로 과소평가할 필요는 없지. 그러나 당신에게 보이는 것은 타인의 약점과 부족한 점. 그를 과소평가해. 그러다 정작 중요한 순간에 무능함을 드러내는 당신이야.

당신의 이면에 존재하는 것은 자만심과 오만함. 스스로가 타인보다 우월하다고 느끼며 그것을 뿌듯하게 여기는 것. 타인을 과소평가하다가 정작 중요한 순간에 어떤 도움도 받지 못하는 당신의 무능함은 금세 탄로나게 될지 몰라. 텅 빈 껍데기 같은 당신의 이면. 스스로가 무너지겠지.

무책임하게

스스로 의무와 책임을 버리고 도망친 자. 이면에 존재하는
무책임함은 타고난 건가? 그에게 묻고 싶지만 보이지 않아.
그는 이미 오래전에 도망쳐서 더 이상 돌아오지 않는 사람.
그렇기에 나는 불신해. 스스로 도망친 사람의 무책임함을.
말로는 최선을 다했다고 하지만 도망간 그 사람은 어디에?

나는 아무 말도 하지 못했지. 이미 도망친 사람은 저 멀리
사라져서 보이지 않아. 그에게 중요한 것은 의무가 아니야.
오직 자기 자신의 안위와 편리함을 위해서 도망친 사람은
그저 무책임한 것뿐이니까. 이제는 아무런 미련도 없어.
무책임하게 도망친 사람의 말로는 행복하지 않았으면 해.

인간의 이면은 알 수가 없어. 인간의 이면에 숨겨진 것은
눈에 보이지 않으니 내가 어쩌지 못해. 그가 도망친 이유.
스스로 무책임함을 인정하지 않고 도망가버린 그 사람의
변명과 핑계는 존재하지 않아. 이미 도망친 그의 흔적은
아무것도 존재하지 않으니 미련은 버리고 기억을 지워.

나는 아무 말도 하지 않을래. 그래. 잊고 살아가야겠지.
그를 원망한다고 달라지는 것은 아무것도 없다는 것을
알기에 나는 기억 속에 존재하는 그를 지우려고 하네.
원망도 미움도 부질없다는 것을 알이게 잊고 살아갈래.
무책임하게 도망친 당신보다 내 삶에 집중하려고 해.

도망자

도망자. 자신의 문제를 책임지기 싫어서 도망자가 된 사람.
도망자. 자신의 의무와 책임을 외면하고 도망친 그런 사람.
그 사람의 이면에 존재하는 것은 과연 무엇인지 궁금해도
절대로 붙잡히지 않을 거야. 자신의 능력으로 그 문제를
스스로 해결하는 대신 도망치는데 총력을 기울이고 있어.

도망자. 자신이 감당해야 하는 것이 싫어서 도망친 사람은
절대로 제자리로 돌아오지 않아. 이미 도망쳤지만 더 멀리
도망치려는 사람은 변명과 핑계로 일관하며 돌아오지 않아.
그래. 당신의 이면에 존재하는 무책임함은 여전히 그대로.
안타깝게도 당신은 도망자가 되어 스스로 나아가지 못해.

그것은 온전히 당신의 책임이지. 누구 탓할 수 없는 거야.
그것은 온전히 당신의 책임이지. 변명과 핑계는 무의미해.
변명과 핑계로 일관하며 책임을 미루려는 도망자의 이면.
자기 스스로 감당하기 싫으니 도망친 사람에게 그 어떤
반성의 기미도 보이지 않으니 쓴웃음을 짓고 깊은 한숨.

도망자여. 스스로 책임질 문제로부터 도망친 당신에게는
그저 비겁한 변명과 핑계만 있어. 누구도 도와주지 못해.
저 멀리 도망친 사람에게 신뢰는 존재할 리가 없는 것.
그래. 당신의 곁에는 더 이상 누구도 없어. 무책임하게
도망쳐서 스스로 의무와 책임을 버린 도망자의 말로야.

어느 노인

기차역 근처의 벤치에 앉아 허공을 응시하는 어느 노인은
시간이 무의미한 것처럼 그저 가만히 하루를 보내고 있다.
이름 모를 어느 노인은 추레한 모습으로 시간을 살해한다.
기차를 기다리는 나는 지루한 하품을 쉬지만 노인은 그저
공허한 시선으로 허공을 바라보며 더딘 시간을 버텨낸다.

어느 노인이 있다. 매일 일정한 시간에 긴 시간을 지키는
노인의 모습에 누군가는 인상을 찌푸리며 자리를 옮긴다.
누군가는 추레하고 냄새가 나는 노인을 욕하며 이동한다.
그러나 그 누구도 노인의 정체에는 아무런 관심이 없다.
노인은 그저 멍하니 시간을 죽이고 공허하게 앉아있다.

나는 침묵한다. 하루 종일 기차역 벤치를 지키는 노인이
어떤 삶을 살아왔으며 왜 그렇게 공허한지 묻지 않는다.
나는 어떤 말도 건넬 수 없다. 노인의 시간은 흘러간다.
나의 시간은 다르게 흘러갈 것이다. 나는 길을 떠난다.
어느 노인의 삶은 타인에 대한 무관심처럼 존재하겠지.

서로가 서로에게 무관심한 이곳에서 나라고 다르겠는가?
냄새가 난다고 인상을 찌푸리는 누군가의 혼잣말 대신
나는 무관심으로 일관하다. 나라고 무엇이 다르겠냐고
스스로에게 묻지만 나는 어떤 말도 하지 못해 침묵한다.
안타깝게도 어느 노인은 그렇게 무관심으로 멀어지겠지.

노숙자

아무렇게나 버려진 쓰레기. 담배 꽁초가 수북이 쌓인 공간.
서로 무관심하게 스마트폰을 흡연실은 담배 연기 자욱하다.
이윽고 나타난 정체불명의 노숙자. 그는 담배 꽁초를 주워
기름이 거의 떨어진 라이터로 불을 붙이려고 한다. 불쾌한
시선이 따갑지도 않은지 그는 담담히 꽁초에 불을 붙인다.

자판기 커피를 마시며 노숙자의 모습을 가만히 지켜보았다.
그는 어쩌다 그렇게 되었을까? 그러나 동정하지 않으련다.
그가 원하는 것은 관심이 아닌 무관심일지도 모를 테니까.
이윽고 흡연실에서 나온 노숙자는 정처없이 거리를 떠돈다.
그는 어떤 사연으로 이곳까지 왔을까? 이내 생각을 멈췄다.

나는 타인에게 무관심하다. 의자에 앉아 그저 멍하니 있는
노숙자의 사연은 내가 알고 싶은 것이 아니다. 안타깝게도
타인의 슬픔을 공유하기에는 나 하나 건사하기도 버거워서
그저 무관심하게 그를 지켜본다. 어려운 사람을 도우라는
초등학교 교과서에서나 나올 법한 말을 따르고 싶지 않다.

노숙자는 한참을 있다가 정처없이 거리를 배회하며 떠났다.
그에게 어떤 사연이 있었는지 궁금하지 않아. 무관심하게
나는 갈 길을 걷는다. 서로에게 무관심한 것이 당연하고
타인의 삶에 참견하지 말라는 세상에 나라고 다르겠는가?
나는 무관심하다. 그가 어떤 사연이 있는지 무관심하다.

자신을 위해서

자신의 이익를 위해서 행동해. 타인에게 무관심한 이 현실.
자신의 안위을 위해서 행동해. 나와 무관한 것은 무관심해.
자신과 상관이 없다면 무관심한 표정으로 고개 돌리는 자.
그를 함부로 비난할 수는 없어. 원래 그런 세상인 거니까.
우리의 이면에 존재하는 것은 이기심. 그것은 본능이었어.

교과서에는 이타적인 것이 좋다고 설명해. 나는 분명 봤지.
자신의 안위에 위협이 되는 것을 제거하고 이익이 안 되는
무언가에는 철저히 무관심한 것을 보았지. 나라고 다를까?
자신을 위해서 행동하는 것이 나쁘다고 말할 수가 있을까?
자신을 위해서 행동하는 이기심은 이면에 존재하는 본능.

타인을 도우려면 우선 나부터 잘 돼야지. 솔직히 안 그래?
쥐뿔도 없는데 누가 누구를 도와? 우선 나부터 잘 돼야지.
나는 나를 위해서 살아가. 이기적이라고 해도 상관 없어.
이것은 내 이면에 존재하는 이기심. 비난할 수는 없어.
누구나 그렇게 살아. 누구나 자신을 위해서 삶을 살아.

내 일이 아니라면 무관심해. 내 안위와 무관한 것이라면
그것에는 무관심해. 나와 관련이 없다면 무관심한 태도.
자신의 안위와 이익이 먼저야. 그게 과연 나쁜 것일까?
내 안위와 이익을 위해서 행동하는 것이 이기적이라고
생각할지는 몰라도 당신도 나와 다르지 않다는 것 알아.

이기주의

이기주의가 만연한 현실이야. 자신의 안위와 이익을 위해서
생각하고 행동하는 세상이야. 그러나 나는 침묵으로 일관해.
이기주의가 당연한 현실이야. 자신의 안위와 이익을 위해서
행동하는 것이 당연하다고 말하는 세상이야. 어쩔 수 없어.
이기주의가 만연하다고 비판하지만 마냥 그럴 수는 없잖아.

좀 더 많은 것을 가지고 누리기 위해서 행동하는 이 세상에
이기주의가 만연하다며 절대 좋은 현살은 아니라고 비판해.
인간의 이면에 존재하는 이기심. 과연 그것이 악인지 물어.
자신의 안위와 이익을 위해 행동하는 것. 이기주의 만연한
세상에서 이 현실은 그렇게 하지 않으면 살아남을 수 없어.

내 안위와 이익이 우선이지. 타인을 위한 이타심. 나에게는
그렇게 중요한 것이 아니야. 우선 나 자신부터 챙겨야겠지.
내 안위가 우선이고 내 이익을 우선 취하려는 태도를 가져.
이기심이 만연한 세상이라고 사람들은 말하지만 그 이면에
존재하는 이기주의는 누구나 가지고 있어. 부정하지 못해.

이기주의 만연한 세상. 자신의 안위과 이익이 우선인 세상.
이게 현실이라고 말하며 자신이 우선순위가 되는 행동에는
이기심이 있다고 해도 함부로 비난할 수는 없지. 이런다고
달라지는 것은 아무것도 없어. 누구나 이기주의자가 되어
자신의 안위와 이익을 위해서 행동하고 살아가고 있잖아.

무표정하게

무표정한 얼굴로 가만히 청취하는 라디오 디제이의 목소리.
누군가의 사연이 소개되고 한때 좋아했던 노래가 흘러나와.
무표정하게 저 어두운 밤하늘을 바라보며 멍하니 이 밤을
홀로 보내. 내 안에 존재하는 것은 과연 무엇인지 몰라서
생각에 잠기지만 이내 의미가 없다는 것을 깨닫고 한숨을.

내 이면에 존재하는 것. 지루하고 무료함에 젖어 무기력한
나를 돌아보면 저절로 깊은 한숨이 나와. 따듯한 이 커피.
라디오 디제이의 목소리를 들으며 마시는 이 아메리카노.
오늘 밤은 유독 길 것 같아. 지독히도 무기력한 요즘이야.
무언가 공허한 마음에 지루하고 무료한 내 일상은 죽어가.

무표정하게 바라보는 저 어두운 밤하늘. 그저 멍하니 있어.
지루하고 무료한 일상. 서서히 무기력함에 젖어드는 나야.
따듯한 아메카노를 마시며 그저 멍하니 이 시간을 죽이네.
왠지 모르게 살아도 사는 것 같지 않아. 그냥 그런 기분.
이게 뭐하는 짓인가 싶어서 담배를 피우며 무표정하게.

지루하고 무료한 기분에 무표정한 얼굴로 이 시간을 보내.
어두운 밤하늘을 바라보며 무기력함에 젖은 나의 이면에
과연 무엇이 존재하는지 알고 싶지만 모든 생각을 멈춰.
지독히도 지루하고 무료한 일상에 무기력함에 젖어드는
하루는 매일 길어지는 것 같아. 무표정하게 밤하늘을 봐.

침묵

지독히도 어두운 밤하늘. 나는 내 이면의 어둠을 응시하였다.
어두컴컴한 이 밤중에 마시는 커피 한잔. 담배 한 대를 피워.
공허한 시선으로 바라보는 내 어두운 이면은 공허할 뿐이다.
그 어떤 것도 보이지 않아 아무것도 없는 나는 허무해진다.
나는 침묵한다. 어떤 말도 할 수 없어 이렇게 침묵을 한다.

내 전부라 여겼던 것. 내 모든 것이라고 말했던 것. 그것은
찰나의 순간이더라. 나는 침묵한다. 내 어두운 이면에 숨은
그것은 사실 아무것도 아닌 것이었다. 나는 침묵을 지킨다.
차마 어떤 말도 할 수 없어 침묵하는 나는 공허할 뿐이다.
뜨거운 커피를 마시며 이 시간은 서서히 죽음과 가까워진다.

그것은 무엇인가? 그것은 무엇이었는가? 아무것도 아니었다.
공허한 시선으로 바라보는 어두운 밤하늘. 내 어두운 이면.
그곳으로 사라진 그것은 덧없고도 부질없는 것에 불과하다.
나는 죽어간다. 덧없게도 시간은 흘러가고 나는 죽어간다.
나는 침묵한다. 아무 말도 할 수 없어 입을 굳게 다문다.

나는 보았다. 내 어두운 이면으로 사라진 그것. 어떤 것도
아니라는 사실에 직면하자 나는 공허하게 밤하늘을 보았다.
그것은 죽어간다. 덧없는 그것은 이렇게 죽음을 맞이한다.
나는 침묵한다. 차마 그 어떤 말도 할 수 없어 침묵한다.
이 밤이 지나면 그것은 한 구의 시신이 되어 발견되리라.

안위

자기 자신의 안위와 이익이 최우선이지. 어쩔 수 없는 현실.
자기 하나 건사하기도 쉽지 않는 세상이야. 어쩔 수가 없어.
이타심보다 이기심이 생존에 유리한 현실인데 뭐 어쩌겠어?
내게 필요한 것은 동정하는 것이 아니라 오직 내 안위니까.
이기적이라고 해도 어쩔 수 없어. 어쩔 수 없는 세상이야.

타인을 동정하는 것. 그것만큼 어리석고 위험한 것도 없지.
함부로 동정하지 마. 그 사람 이면에 숨겨진 칼은 안 보여.
타인을 불쌍이 여기는 것. 덧없고도 부질없어. 그 마음은
오직 자기 자신을 위해서 사용해. 자신의 안위가 최우선.
내 안위와 이익이 최우선해야 해. 어쩔 수 없는 세상이야.

당장 내 의무와 책임을 다하기도 어려워. 현실을 직사하고
이타적인 마음보다 좀 더 이기적으로 굴어. 안위와 이익은
추구하는 것이 나쁘다고 말할 수는 없지. 내 안위가 우선.
내가 취해야 하는 이익이 먼저. 이기적이라고 해도 그게
나쁘다고 말할 수 없어. 그런 말할 자격은 아무도 없어.

내 안위와 이익. 타인을 동정하는 것은 오히려 위험하지.
그는 너의 동정심을 원하지 않아. 이면에 숨겨진 칼날.
그 칼날이 언제든지 너를 향하게 될지도 모르는 거니까.
지금 네게 필요한 것은 이타심이 아니야. 네 안위 먼저
걱정하고 네 이익을 우선해. 어쩔 수 없는 세상이니까.

이타심

이타심을 발휘하여 타인을 돕는 것. 내가 보기에 덧없는 것.
이타심을 발휘하여 타인을 돕는 것. 그건 위선일 뿐인 세상.
자신의 속내를 감추고 도움을 청하는 그의 이면은 안 보여.
그의 진의를 파악하기 전까지는 충분히 거리를 두고 행동해.
지금 그에게 필요한 것은 네가 가진 것. 네 안위가 최우선.

이기심이 만연한 사회에서 언론에서 떠들어. 하지만 보았지.
불쌍한 처지를 악용하여 자신의 이익을 편취하려는 악의를.
너의 이타심은 때로는 독이 되기 마련이야. 이타적인 행동.
너의 진심을 나는 알지만 누군가 보기에는 위선자의 마음.
지금은 그게 중요한 것이 아니야. 네 안위와 이익을 챙겨.

아무도 뭐라고 하지 않아. 누구도 함부로 비난하지 못하지.
자신의 안위와 이익을 챙기는 것. 그것이 나쁜 것이 아냐.
인간은 누구나 이기적이야. 너의 이타적인 마음과 행동이
때로는 칼날이 되어 너를 해칠지도 몰라. 그러니 조심해.
내가 보기에 너는 충분히 위태로워 보여. 너는 널 챙겨.

자신의 안위를 걱정하고 이익을 취하려는 것은 본능이야.
자신을 돌보지 못하고 이타적인 행동은 덧없고도 위험해.
우선 내 안위와 이익을 위해 행동해. 위선적인 이타심은
오히려 독이 되어 돌아올 테니. 네게 중요한 것을 취해.
이기적이라고 말하는 그것이 네게는 더 큰 도움이 되니.

이기적

인간의 어두운 이면. 누구나 이기심을 가지고 살아가잖아.
인간의 어두운 이면. 누구나 이적으로 행동하고 생각해.
그러나 그것을 비난하는 당신의 위선이 훨씬 지저분해.
차분이 앉아 바라보는 당신의 이면에 존재하는 그것은
타인에게 보여지는 이미를 중요하게 여기는 욕망이지.

인간의 어두운 이면. 누구나 자신의 안위와 이익을 위해.
인간의 어두운 이면. 누구나 자신의 이익이 우선인 거야.
때로는 이타적으로 살아가는 사람도 있지. 그러나 봤지.
위선자라고 욕하며 그를 깎아내려는 사람을. 그를 보고
나는 깨달았지. 이기심은 다양한 모습으로 존재하는 것.

우리는 말해. 이기적인 것은 나쁘다고. 나는 묻고 싶어.
이기적인 것의 기준은 무엇이고 어디까지가 이기적인지.
아무도 쉽게 대답하지 못해. 사회적 기준은 불명확해.
이기적인 마음. 이타적인 삶마저도 비난하는 그 이기심.
비난의 화살이 향하자 도망치는 그의 뒷모습을 보았지.

이타적인 삶을 살아가는 사람을 위선자라고 험담했었던
사람은 비난의 화살에 도망쳐버렸지. 이기심이 만연한
세상에 보기 드문 이타적인 사람은 존중을 받기 마련.
위선자를 욕하기에 당신의 어두운 이면에 있는 그것은
훨씬 추악하고 더러워. 나는 침묵하며 쓴웃음을 지어.

이타적인

이타적인 삶을 살아가겠노라고 말했지. 이타적인 삶을 살아가.
그런 당신의 삶은 충분히 존경스럽지만 나는 고개를 갸웃거려.
자신의 이익을 위해서 당신을 악용하려는 사람. 그리고 끝내
울음을 터트리며 주저앉아버린 너. 네가 원했던 것은 그것이
아니었다는 것을 알기에 깊은 한숨을 쉬며 이 담배를 피웠어.

이타적인 삶. 누구나 그렇게 살아가기는 어렵다는 것 잘 알아.
하지만 말이야. 지금의 네게 필요한 것은 단순한 위로가 아냐.
지금의 네게 필요한 것은 네 안위를 걱정하며 이익을 취하며
너 자신을 지키려는 마음가짐이 필요해. 그건 이기심이 아냐.
누구나 자신의 안위와 이익을 위해서 행동하며 살아가는 중.

이타적인 것. 그것은 분명히 훌륭해. 하지만 네게 필요한 건
네 안위를 걱정하고 스스로 이익을 취하는 것. 네 이타심을
악용하려는 이기적인 그 사람 때문에 울지 않았으면 좋겠어.
친구로서 하는 말. 네게 필요한 것은 네 안위와 이익이니까.
그래. 네게 진정 필요한 것은 이타적인 마음가짐이 아니야.

인간은 원래 그래. 자신의 안위와 이익을 챙기는 것. 그것이
이기적이라고 말할 수는 없지. 인간의 이면에 존재하는 것은
이기심이라고 하지만 그것이 마냥 나쁘다고 말할 수는 없지.
네게 필요한 것은 이타심만이 아니야. 너는 너 자신을 위해.
너에게는 네 안위를 걱정하고 이익을 행동할 필요가 있어.

악의

자신의 악의를 숨기고 친근한 척하는 당신의 어두운 이면.
그 악의는 쉽게 숨겨지지 않는다는 사실을 당신은 모르지.
눈에 보이는 당신의 어두운 이면에 나는 충분히 거리두고
말과 행동을 조심해. 당신의 악의는 위협적인 마음이니까.
당신의 악의. 그것이 나를 공격하질도 모르지. 거리를 둬.

당신의 악의. 처음부터 알고 있었어. 당신의 가진 악의는
그렇게 쉽게 감춰지는 것은 아니야. 내 눈에 훤히 보이는
당신의 시선에 담긴 악의가 나를 언제 공격할지도 모르지.
당신과 거리를 두고 말과 행동을 조심해. 당신의 악의는
언제든지 나를 공격할지도 모르니 나는 당신을 불신하지.

그 무엇보다 어두운 악의. 그것을 품은 당신. 의심스러워.
당신의 악의는 내게 접근해 위협이 될지도 몰라. 그래서
나는 당신을 불신하며 거기를 둬. 거리가 멀어지는 관계.
당신은 친근한 척하지만 악의를 품고 있다는 것을 알아.
당신의 이면에 있는 악의는 선명해서 감출 수 없는 거야.

당신의 악의. 어두운 이면에 존재하는 그 선명한 악의가
언제든지 내게 위협이 될지도 몰라. 당신과는 거리를 둬.
악의를 가진 사람. 나는 당신을 철저히 멀리하며 멀어져.
절대로 가깝게 지내면 안 되는 사이. 충분히 멀리 두고
당신의 악의를 경계해. 당신을 의심하며 불신하는 나야.

악의를 가진

가장 순수하고 강한 악의를 품은 너를 봤어. 타인을 위협해. 철저히 자신의 안위와 이익을 위해서 악의적인 행동을 하는 너의 언행을 나는 철저히 경계해. 친한 척하지만 나는 알지. 네가 가진 악의는 타인을 위협하고 해치는 위험한 칼이니까. 나는 철저히 경계해. 너를 의심하며 거리를 두는 것이 상책.

악의를 가진 너. 오래전부터 그랬지. 오직 자신의 안위에만 신경을 쓰고 타인이 어떻든 무관심한 너는 내게 친한 척해. 너의 의도를 알기에 너와는 철저히 거리를 두고 멀리 봤어. 악의를 가진 너의 진의는 자신의 안위와 이익을 위한 행동. 그것을 알기에 끊임없이 경계하고 의심하며 방심하지 않아.

너의 악의는 온전히 자기 자신을 위한 이기심. 나는 보았지. 아무렇지도 않게 타인의 약점을 잡고 공격하는 너의 악의를. 더 많은 이익을 취하기 위해서 공격하는 너의 악의를 봤어. 도무지 신뢰할 수 없는 너의 행동. 악의를 가진 네 모습에 나는 철저히 경계하고 의심해. 친한 척하는 너를 불신하지.

도무지 믿을 수 없어. 악의를 가진 너의 태도. 친한 척하는 너의 언행에는 사실 악의가 숨겨졌다는 것을 알기에 멀어져. 내게 필요한 것은 충분한 거리. 절대로 들키지 않아야 하는 내 속내를 철저히 감추고 방어적으로 행동해. 악의를 가진 너를 알기에 불신해. 의심하며 경계하며 너를 멀리해야지.

어두운 이면

인간의 어두운 이면. 누구나 자신의 어두운 이면을 감춘다.
인간의 어두운 이면. 그것은 스스로 감추고 삶을 살아간다.
당신은 어떤 것도 감출 것이 없다고 말하지만 그 이면에는
무엇인가 존재하기 마련이니 나는 침묵하며 고개를 돌린다.
나도 당신도 마찬가지다. 어두운 이면을 드러내지 않는다.

스스로 어떤 것도 감출 것이 없다고 말하지만 그 이면에는
함부로 드러내지 못하는 이면이 존재한다. 그 어두운 이면.
그것에 존재하는 것은 모두가 다르니 나는 내 이면을 본다.
내 어두운 이면은 무엇인가? 나는 나를 응시한다. 그리고
내 어두운 이면에 존재하는 그것에 나는 그저 침묵한다.

자기 자신의 어두운 이면을 인지하지 못하고 삶을 사는 자.
끝내 자신의 어두운 이면을 깨닫지 못하고 살아가는 당신.
그러나 그것은 당신의 잘못이 아니다. 그 이면에 감춰진
무언가는 깊은 어둠이니 스스로 깨닫기는 어려운 것이다.
그것을 인지하며 살아가는 사람은 생각보다 많지 않다.

나는 내 어두운 이면을 보았다. 나는 나를 담담히 보았다.
내가 감추는 어두운 이면은 차마 드러내지 못하는 것이다.
그리고 그것은 침묵으로 숨기며 절대 공개하지 않으리라.
내 어두운 이면에 존재하는 것. 그것은 온전히 나의 몫.
그것을 지고 살아가는 것은 내 숙명이니 침묵을 지킨다.

내 어두운 이면에 존재하는 것을 감춘다. 나는 침묵하리라.
인간의 어두운 이면. 그것은 누구에게나 존재하는 것이다.
나는 스스로 내 이면에 존재하는 그것을 감추며 살아간다.
그것은 침묵을 통해 감춰진다. 차마 말하지 못하는 그것.
그것이 드러나는 순간 나는 스스로 무너지고 몰락하리라.

스스로 어두운 이면을 자각하지 못하는 당신은 어떤 것도
감출 것이 없다고 말한다. 그러나 그 어두운 이면에 있는
그것은 당신을 수치스럽게 할 것이다. 나는 침묵을 한다.
당신의 어두운 이면에 존재하는 것은 나는 알지 못한다.
그것은 온전히 자기 스스로 인지하고 깨닫는 것이므로.

나는 침묵한다. 어두운 이면에 감춰진 그것을 숨기는 것.
이것은 인간의 본능이다. 누구에게도 말하지 못할 이면.
내 어두운 이면을 안다면 내가 사랑하는 당신이 떠날까
두려워서 차마 말하지 못해 침묵한다. 나는 침묵하리라.
어쩌면 사는 동안 절대로 말하지 못할 비밀은 침묵이다.

누구나 어두운 이면에 존재한다. 그 이면에 숨겨진 것은
누구도 쉽사리 입 밖으로 꺼낼 수 없는 것이다. 그래서
나는 침묵한다. 어쩌면 내가 사는 동안 꺼내지 못할 것.
그것은 마치 숙명적인 것처럼 느껴져 나는 침묵하리라.
내가 사는 동안 사라지지 않을 어두운 이면을 감춘다.

그것은

그것은 내 어두운 이면이다. 차마 말하지 못하는 이면이다.
그것은 내 어두운 이면이다. 차마 말하지 못하는 비밀이다.
자신의 어두운 이면을 솔직히 말하는 것. 그것이 두려워서
차마 어떤 말도 하지 못하고 침묵하며 그것을 감춰버렸다.
이면에 존재하는 그것은 타인에게 약점을 잡히는 것이다.

타인에게 드러내지 못하는 그것은 내 어두운 이면에 있다.
타인에게 드러낼 수 없는 그것을 드러내는 것은 부질없다.
타인에게 약점을 잡히기 싫어서 드러내지 못하는 그것은
내가 사는 동안 말하지 못하는 비밀이 되어 존재하리라.
그것은 내 어두운 이면이다. 그것은 침묵하며 잊힌다.

어느 순간 내 어두운 이면을 자각하지 않는다. 그것이란
그런 것이다. 자신의 속내를 드러내지 못하는 그런 것은
일종의 비밀이 되어 존재한다. 어느새 그것은 멀어진다.
어느 순간부터 인지하지 못하는 그것은 비밀처럼 있다.
그것은 비밀이다. 내 어두운 이면에 있는 것은 그렇다.

타인에게 말하지 못하는 그것은 어두운 이면에 감춰진다.
그것은 어느새 자각하지 않고 살아간다. 조금씩 잊히고
멀어지는 그것은 여전히 그대로이지만 나는 침묵하리라.
어느 순간부터 스스로 자각하지 않으며 살아가는 그것.
그것은 내 어두운 이면에 존재하지만 의식하지 않는다.

비밀

비밀은 비밀이기에 비밀이다. 그것은 단지 비밀로 존재한다.
그것은 비밀이기에 비밀이다. 비밀은 아무도 모르는 것이다.
내가 내 비밀을 말해야 하는 이유는 없다. 그것은 그렇기에
아무도 모르는 것이 되어 오직 내가 간직해야 하는 것이다.
당신이 모르는 내 비밀은 누구도 궁금해하지 않을 테지만.

오랫동안 간직한 비밀. 그것을 간직하며 살아가는 비밀이다.
누구도 궁금해하지 않는 나의 비밀은 내게는 중요한 것이다.
그리고 그것은 내 어두운 이면에 존재하는 것은 침묵하리라.
누구에게도 말하지 않을 비밀은 누구도 궁금해하지 않는다.
그리하여 어두운 이면에 존재하는 것은 철저히 숨겨지리라.

내 미밀은 그런 것이다. 누구도 모르고 궁금해하지 않는 것.
그것은 그렇게 세상에서 사라지고 잊히는 것이다. 비밀이란
비밀이기에 자기 자신만 아는 것이 되어 존재하는 것이다.
가족도 친구도 모르는 내 비밀은 사는 동안 지속되리라는
사실은 변하지 않으리라. 그렇게 나는 비밀을 침묵하리라.

그렇다. 내 비밀은 어두운 이면에 존재하는 것이다. 그것은
나만 아는 비밀이 되어 그렇게 잊히고 사라지는 것이 되어
세상에서 완전히 잊히고 사라지겠지. 어두운 내 이면에서
존재하는 비밀은 누구도 모르며 궁금해하지 않는 것이다.
그렇게 내 비밀은 사는 동안 존재하며 끝내 소멸하리라.

부질없다

참으로 부질없다. 사랑도 우정도 결국은 부질없는 거더라.
참으로 덧없더라. 관계는 언제든지 무너지기 마련인 거야.
우리의 어두운 이면. 서로 시기하고 질투하는 것. 그렇게
우리의 관계는 쉽게 금이 가고 산산조각나기 마련이니까.
사랑도 우정도 결국에는 부질없다. 인간은 결국 혼자더라.

누군가는 말했지. 사람은 결국 혼자라고. 맞는 말인 거야.
사랑이 가장 아름답다고 여겼지. 너와 헤어지기 전까지는.
우정이 가장 아름답다고 말했지. 우정이 깨지기 전까지는.
인간관계는 생각보다 훨씬 쉽게 금이 가고 산산조각나네.
생각해보면 참으로 부질없는 것이 인간관계. 허무해지네.

부질없다. 지금은 영원하자는 말해도 끝내 잊히는 약속에
어떤 의미가 있을까? 덧없고도 부질없는 그 약속은 없어.
절대로 영원하지 못하는 것이 관계. 우리의 인연도 끝내
과거의 한때로 남아 서로가 서로를 다르게 기억하겠지.
참으로 부질없다. 우리의 인연도 이내 사라지고 말겠지.

결국에는 자기 자신만 남는 것이 인생이지. 참 부질없어.
사랑도 우정도 쉽게 깨지고 유리조각처럼 산산조각나지.
그런 덧없는 것에 영원하자는 약속이 부질없다는 사실.
그것을 깨달은 후로 절대 그런 약속 따위 하지 않거든.

사는 동안

사는 동안 수없이 많은 관계가 형성되고 사라지는 것을 겪어.
사는 동안 수없이 많은 관계가 형성되고 멀어지는 것을 겪어.
어쩌면 가장 손쉽게 형성되고 깨지는 것이 인연이니 말이야.
자신의 이익을 위해서 형성되기에 금세 깨지는 그런 인연은
아무런 의미가 없어. 그저 덧없고 부질없는 것에 불과하지.

지금은 사랑한다고 말하지만 이것이 영원하지 않다는 사실과
지금은 친구라고 말하지만 이 관계가 영원할 수 없다는 것을
깨달은 후로 나는 줄곧 사람을 믿지 않았어. 사람은 간사해.
사람의 마음만큼 간사한 것도 없지. 쉽게 형성되고 사라져.
사는 동안 형성되고사라지는 관계에 의미를 두지는 않을래.

살아보니 깨달은 것은 인연에 지나치게 연연할 필요는 없어.
살다보니 수많은 인연이 형성되고 사라지는 것을 겪었거든.
인생은 결국 혼자야. 덧없고 부질없는 인연은 무의미해서
금세 잊히고 말거든. 그런 것에 의미를 부여하지는 않아.
우리의 관계. 지금은 친밀해도 그리 오래가지 않을 거야.

세월이 흐르고 나니 점점 혼자 있는 것이 익숙해지는 거야.
세월이 지나고 나니 혼라자는 것이 친숙해. 인생은 혼자야.
인간은 관계 속에 존재하지만 그것은 부질없고도 덧없어.
모든 인연은 끝이 있기 마련이고 그렇게 혼자가 남잖아.
참으로 부질없지. 인연은 유리조각처럼 쉽게 조각나는 것.

낡은 의자

몹시 낡은 의자가 있다. 의자에 앉은 공허한 노인을 본다.
몹시 낡은 의자가 있다. 더디게 흘러가는 시간. 노인에게
필요한 것은 어쩌면 관심인가? 그러나 노인은 무표정하게
공허한 시선으로 저 하늘을 멍하니 바라본다. 공허하기에
아주 느리게 흘러가는 이 순간에 노인은 무관심할 뿐이다.

흘깃거리며 지나가는 몇몇 사람들. 그러나 모두가 노인의
모습에는 철저히 무관심하고 그저 스쳐지나간다. 이윽고
나는 자판기 커피를 마시며 그런 노인을 가만히 보았다.
어쩌면 노인에게 필요한 것은 관심이 아닌 무관심이다.
낡은 의자에 앉은 노인은 무관심하게 이 시간을 죽인다.

째깍째깍. 시계탑 소리가 왠지 거슬린다. 느리게 흐르는
이 시간에 노인은 낡은 의자에 일어날 기미가 안 보인다.
그저 공허한 시선으로 바라보는 저 하늘은 회색빛이지만
도무지 일어날 기미가 보이지 않는 노인은 무표정하다.
이윽고 빗방울이 떨어지자 노인은 낡은 의자를 떠난다.

우산을 쓰고 걷는 길. 노인은 비를 맞으며 이 길을 간다.
어느 갈림길에서 나는 인파가 북적이는 곳을 바라보았다.
그러나 노인은 그런 것 따위 무관심하다는 듯이 걷는다.
그 끝이 보이지 않는 달동네가 위치한 산 중턱을 향해
걸어가는 노인은 낡은 의자처럼 삐걱거리며 걸어간다.

달동네

사람의 흔적을 찾아보기 어려운 달동네. 한참을 길을 걸었어.
지독히도 가난한 달동네의 풍경. 나도 모르게 쓴웃음을 지어.
회색빛으로 물든 하늘은 금방이라도 비가 쏟아질 것 같은데
이곳은 지독히도 무거운 침묵이 흘러. 무거운 발걸음을 옮겨.
어린 시절의 기억이 고스란히 남은 이곳은 텅 빈 폐허 같아.

매우 낡고 오래된 주택가. 사람의 흔적이 보이지 않아. 왠지
서러운 마음에 하마터면 눈물이 흐를 뻔했어. 나는 깨달았지.
내 이면에 존재하는 돈 욕심. 달동네에서 시작된 내 탐욕은
어찌보면 당연해. 이곳에 시작된 내 욕망은 끝이 안 보이네.
내 어두운 이면에 존재하는 물질에 대한 욕망을 난 보았어.

지독히도 가난했던 그 시절의 기억. 상처로 남은 그 기억이
달동네에 고스란히 남았네. 어떤 것도 할 수 없었던 당시의
내 모습은 여전히 선명해. 내 어두운 이면에 존재하는 것.
그것은 이곳에 시작되어 현재진행형. 내 탐욕은 적지 않아.
어쩌면 오랫동안 잊지 못할 기억은 상처처럼 아프고 쓰려.

사람은 누구나 상처가 있어. 이곳에서 비롯된 돈 욕심에는
지독히도 가난했던 시절의 상처가 존재해. 잊지 못할 기억.
긴 세월이 지났지만 절대 쉽게 잊히는 기억은 선명하기에
내 어두운 이면에 존재하는 돈에 대한 욕심이 더욱 커져.
달동네. 마치 악몽 같았던 그 시절을 나는 잊지 못했어.

거울

거울에 비친 내 표정은 없어. 항상 무표정한 얼굴로 외출해.
외출하기 전 내 표정은 없어. 여느 때와 마찬가지로 무표정.
옷을 대충 입고 목적지를 향해 걸어. 무표정한 얼굴로 앞만
바라보며 걸어. 어차피 서로가 서로에게 무관심한 세상이야.
당신이 내 상사도 아닌데 웃는 표정 지을 필요는 없는 거야.

우연히 만난 누군가. 무표정한 얼굴로 무덤덤하게 인사했지.
당신은 당황스럽나 봐. 어떤 말을 해도 표정이 변하지 않는
내가 의아한가 봐. 왜 그렇지 웃지 않느냐는 당신의 질문에
내가 굳이 웃어야만 하는 이유가 있냐고 반문했지. 더 이상
재밌지도 않은 말에 웃어줄 이유가 없어. 이미 상실한 이유.

어색한 침묵이 이어져. 형식적인 몇 마디 대화를 나눈 후에
당신이 하는 말. 뭔가 좀 많이 어두워졌대. 이해할 수 없어.
내가 어두워졌다고 해도 달라지는 것은 아무것도 없는 건데.
그때는 웃어야 했지. 당신이 내게 월급을 주던 입장일 때는.
그 시절의 내 본심은 그때와 다르지 않아. 그저 무표정하게.

카페에 들어가 뜨거운 아메리카노를 주문해. 구석진 곳에서
거울에 비친 내 모습을 봤어. 아무럼 감정이 없는 듯하지만
어느 순간부터 절대 내 속내를 드러내지 않게 됐어. 무표정.
거울에 비친 내 얼굴은 언제나 그렇듯이 무표정하게 존재해.
어느 순간에 상실한 이유. 웃어야 하는 이유는 없는 거니까.

무관심

당신이 무슨 말을 해도 무관심해. 그것은 나와 무관한 거니까.
당신이 어떤 말을 해도 무관심해. 그것은 나와 무관한 거니까.
애써 듣는 척하지만 피곤해. 쓸데없는데 감정 낭비하기 싫어.
귀를 닫고 다른 생각에 잠겨. 내게 중요한 것은 당신이 아냐.
내 안위와 이익이 우선이지. 당신이 뭐라는지 관심이 없거든.

한참 길어지는 말. 몹시 피곤하네. 적당히 듣는 척해. 사실은
당신이 뭐라고 해도 딱히 듣고 싶진 않아. 나는 무관심하거든.
어차피 당신이 내 월급주는 것은 아니지. 당신의 이야기의 끝.
내가 바라는 것은 대화의 단절. 당신이 뭐라고 해도 무관심해.
시간이 길어지네. 피곤해. 커피 한잔이 간절해지는 시간이야.

참으로 부질없지. 자세히 들어보면 끝내 아무런 의미 없는 말.
귀찮고 피곤해. 무의미한 대화에 무관심해. 당신이 말하는 것.
그것에 아무런 관심이 없어. 그것에 나와 아무런 연관이 없지.
참으로 부질없는 말. 그 말이 길어질수록 피곤해. 불필요하지.
당신이 하는 말은 철저히 무의미하고 불필요한 주제에 속해.

할 말이 끝났으면 각자의 자리로. 내 이면에 존재하는 무관심.
내 안위와 이익에 관련된 문제가 아니라면 아무 관심도 없어.
내 사람의 안위와 이익이 관련된 문제가 아니라면 무관심해.
당신이 했던 말. 금세 잊어버리고 내 자리로 돌아가. 그래.
내 이면에 존재하는 무관심함은 오직 나를 위한 이기심이야.

철저한 무관심

무연고자의 고독사. 그러나 우리는 무관심하게 그를 잊었어.
누군가의 고독사. 안타깝게도 철저한 무관심으로 잊히는 것.
언론에서는 안타까운 현실이라고 말하지. 그러나 나는 봤어.
금세 잊히고 사라지는 논란. 철저한 무관심에 사라져버리는
그의 이야기는 누구도 신경 쓰지 않아. 그렇게 곧 사라지네.

서로가 서로에게 철저히 무관심해. 누군지 모를 사람에게는
철저히 무관심해. 자기 일이 아니라며 고개 돌리는 것 봤지.
그의 삶은 아무도 관심이 없어. 모두가 그렇게 외면하는 것.
그의 사연에는 아무런 관심이 없어. 그렇게 그는 잊히겠지.
마치 처음부터 존재하지 않았던 사람처럼 이내 잊힐 거야.

우리의 이면에 존재하는 것. 철저저한 무관심으로 멀어지네.
그렇게 서서히 잊히고 사라지는 것. 타인의 삶에 무관심해.
타인의 이야기에 무관심해. 그런 것에 귀를 기울이지 않아.
자신의 안위와 이익과 무관하다면 서로 철저히 무관심하게.
그렇게 우리의 관계는 시간이 지날수록 옅어지고 희미해져.

서로에 대한 무관심. 도움의 손길을 필요로 하는 그 사람들.
그러나 우리는 철저히 무관심하지. 자신과 무관하다면 외면.
시간이 지날수록 우리는 부유해지지만 그만큼 멀어지는 것.
어쩌면 우리에게 필요한 것은 서로에 대한 관심인지 몰라.
서로가 서로에게 철저히 무관심한 세상에 관심이 필요해.

외면

도움이 안 된다는 이유로 외면해버리고 떠나가는 너를 봤어.
도움을 청하는 사람의 사정 따위는 상관할 일이 아니라면서
철저히 외면하는 너를 보았어. 차마 비난하지 못하는 나야.
나도 내 이익을 위해서 행동해. 내가 너를 비난하지 못해.
나 또한 수없이 외면하며 살아왔기에 그저 침묵할 뿐이지.

누군가는 관심을 필요로 해. 그는 어려운 형편을 호소하며
도움을 청해. 그러나 그를 외면하고 떠나가. 나는 보았지.
그가 어떤 어려움에 있는지조차 듣지 않으려는 사람들을.
그러나 나는 그를 비난할 수 없어. 나도 다르지가 않아.
도움을 필요로 하는 사람을 외면하는 어두운 이면이야.

나도 저 사람처럼 어려움에 처하겠지. 나도 외면을 당하고
버려지겠지. 그러나 지금 내게 중요한 것은 그것이 아니야.
나는 저 사람처럼 되지 않으리라는 근거 없는 자신감이야.
막상 어려움에 처하면 도와달라고 말하겠지만 지금은 아냐.
그래서 그를 외면하고 떠나는 너를 차마 비난할 수는 없어.

나는 침묵해. 나도 언제든지 어려움에 처할 수 있다는 것을
알지만 지금은 아니기에 외면해. 내 어두운 이면에 있는 것.
우리의 어두운 이면에 있는 것. 서로의 어려움을 외면하며
그것은 내가 겪지 않을 거라고 생각하는 오만함. 그렇기에
쓴웃음을 짓지만 이런다고 달라지는 것은 없다는 것 알아.

낡은 우산

매우 낡은 우산을 쓰고 노인은 그저 가만히 허공을 보았다. 그는 지친 얼굴로 몹시 느린 걸음으로 천천히 길을 걷는다. 그리고 도착한 곳은 기차역. 의자에 앉은 노인의 우산에는 오랜 세월의 흔적이 고스란히 남아 마치 노인을 닮은 듯해. 기차를 기다리는 이 시간에 낡은 우산은 그 수명이 끝난다.

매우 낡고 오래되어 죽음과 가까운 우산. 노인은 씁쓸하게 웃으며 그 우산을 버린다. 마치 자신의 처지처럼 오래되고 낡았기에 버려지는 우산처럼 노인은 그렇게 홀로 방치된다. 몹시 지저분한 옷차림에 악취가 나는 노인의 모습. 당신은 인상을 찌푸리며 뭐라고 중얼거린다. 좋은 말은 아닐 테지.

몹시 지친 듯한 저 노인은 마치 낡은 우산 같다. 버려지기 십상인 낡은 우산처럼 노인은 그 가치를 다해 버려진 걸까? 매우 지저분하고 추레한 노인의 모습에 인상을 찌푸리면서 흘깃거리는 누군가의 시선에 깊은 한숨을 쉬었다. 모든 게 세월의 흔적이건만 버려지는 낡은 우산을 닮은 노인이리라.

매일 기차역 의자에 앉아 그저 멍하니 시간을 죽이는 노인. 오래되어 낡고 수명을 다한 우산을 버린 저 노인의 표정은 몹시 무덤덤한 듯하지만 심란함을 감추지 못한다. 그 끝에 도달한 노인은 더 이상 쓰임을 받지 못하는 처지를 알기에 지독히도 느린 시간을 공허한 시선으로 바라보며 죽어간다.

백수

직장을 잃은 그는 오늘도 하루 종일 도서관에서 시간을 보내.
백수가 된 그는 오늘도 책을 읽거나 커피를 마시는 하루겠지.
너는 내게 그가 참 한심하다고 말하며 험담하지만 난 침묵해.
나는 차마 그를 함부로 말하지 못하겠어. 작가라는 이름으로
살아가는 나는 그와 크게 다르지 않는 삶이라는 것을 알거든.

하루 종일 도서관에서 시간을 보내는 그 사람은 직장이 없지.
일을 하지 않는 그는 돈이 없기에 갈 곳이 없어 이곳에 있어.
공부를 하기 위해 도서관을 찾은 너는 그가 한심하다고 말해.
글을 쓸 소재를 찾기 위해 이곳을 찾은 나는 네가 좀 그렇지.
사실은 차마 어떤 말도 못하겠어. 그를 무시하는 건 좀 아냐.

직장을 잃은 이유. 그래. 그것은 그의 의지가 아니었을 거야.
그가 백수가 된 이유. 그에게도 사정이 있다는 것을 잘 알아.
그러나 너는 그를 험담하며 무시해. 누군가는 백수를 향해서
한심스러운 시선을 보내. 우리의 이면에 존재하는 그런 편견.
나이를 먹은 백수를 한심하게 여기는 무시와 편견. 씁쓸하지.

누구라도 그렇게 될 수 있다는 사실을 알기에 나는 침묵했지.
아직 직장을 구하지 못한 너라고 다를까? 작가라는 이름으로
살아가지만 변변치 못한 나라고 다르겠니? 너의 어두운 이면.
직장을 잃은 그가 몹시 한심하다며 험담하는 너는 좀 그렇지.
하지만 나는 차마 할 말이 없기에 침묵하며 대답을 거부했지.

뒷담화

누군가의 뒷담화. 우리의 이면에 존재하는 그런 본능인 건가?
누군가의 뒷담화. 쉽게 험담하고 욕하는 대화에 거부감 느껴.
어쩌면 이런 생각하는 내가 이상한 건지도 모르지. 누군가를
험담하는 당신의 뒷담화가 귀에 거슬리지만 애써 무표정하게.
긍정도 부정도 하지 않아. 당신의 뒷담화가 몹시 불편하지만.

인간이 모이는 곳에 항상 존재하는 뒷담화. 그것이 불편해도
애써 모르는 척해. 누군가의 뒷담화. 그것이 불편한 내 마음.
하지만 모르는 척해. 분위기를 깨기 싫어서 그저 침묵했었지.
어쩌면 이런 내가 가장 나쁜 건지도 모르지. 그냥 좀 불편해.
누군가의 뒷담화는 언제나 그렇듯이 부메랑이 되어 돌아오니.

누군가가 내 뒷담화를 했다는 이야기를 들었어. 나는 느꼈지.
나를 뒷담화한 사람과 그것을 전하는 당신도 사실 다 똑같아.
뒷담화는 인간의 본능인가? 우리의 어두운 이면에 숨은 본능.
그 자체인 건가? 알다가도 모를 일이지만 불쾌함이 느껴지네.
나는 애써 모르는 척하며 침묵해. 감정을 감추고 숨겨버렸어.

상대를 쉽게 뒷담화하는 것. 아무렇지도 않게 뒷담화하는 것.
그것은 우리의 이면에 존재하는 본능인 건가? 의문이 들지만
애써 드러내지 않을래. 그것은 우리의 어두운 이면에 있잖아.
당사자 앞에서는 아무 말도 하지 못하면서 험담하는 그 태도.
그것이 몹시 불편해서 나는 모르는 척했지. 침묵으로 무시해.

험담

누군가의 험담. 그것을 듣는 순간 불편하지만 나는 무표정해.
누군가의 험담. 그것을 듣지만 나는 모르는 척하며 연기했지.
험담은 우리의 이면에 존재하는 것. 누구나 누군가를 험담해.
단 한 번도 누군가를 험담한 적이 없다면 그것은 거짓말이지.
우리는 누구나 살다보면 누군가를 험담한 경험이 존재하거든.

나라고 무엇 하나 다르지 않아. 누군가를 험담하는 행위에는
인간의 어두운 이면이 존재해. 그가 싫어서 험담하는 당신과
내 어두운 이면은 그리 다르지 않다는 것을 알기에 침묵했어.
누구나 한 번쯤은 타인을 험담해. 나도 다르지 않아. 그래서
침묵하며 어떤 긍정도 부정도 하지 않아. 침묵하며 들어야지.

지금 이 순간에 나를 대상으로 누군가는 험담하겠지. 그것이
사실이 아니라고 해도 당신은 불만을 품고 나를 험담하겠지.
그것을 알기에 나는 긍정도 부정도 하지 않아. 당신의 험담.
그 누구에게도 전하지 않을 거야. 나는 모르는 척 연기했지.
듣지 못한 척. 그것을 알지 못하는 척. 모르는 척 연기했지.

나를 향한 험담. 당신을 향한 험담. 그것의 본질은 동일해서
나는 차마 긍정도 부정도 하지 못해. 그저 모르는 척해야지.
타인을 향한 험담은 우리의 어두운 이면에 존재하는 본능에
가까운 건지도 모르지. 그래서 나는 침묵해. 모르는 척하며
그것을 타인에게 전하지 않아. 이건 나 자신과의 약속이야.

갈등

서로가 서로를 이해하지 않기에 오해와 갈등은 끝나지 않아.
서로가 서로를 이해하지 못하기에 갈등과 반목은 더 길어져.
각자가 생각이 다르니 이해하기 어려운 우리는 갈등과 반목.
그것이 길어질수록 더욱 멀어지는 것이 관계이니 끝이 보여.
그래. 나는 당신을 이해하지 못하기에 거리를 두고 말았지.

우리의 갈등. 따지고 보면 아무것도 아니었어. 사소한 갈등.
그러나 서로가 이해하려는 노력하지 않아. 우리의 관계에는
갈등으로 인한 반목이 존재하니 그렇게 멀어지고 끝나겠지.
사소한 갈등이 불통으로 이어져. 그렇게 이 관계는 끝나고
서로를 악연이라고 생각하겠지. 갈등은 그렇게 끝나는 것.

나는 당신을 이해할 수 없어. 이해하려는 마음도 들지 않아.
당신은 나를 이해할 수 없어. 이해하려는 생각도 하지 않아.
사소한 오해와 갈등이 눈덩이처럼 커지고 관계는 금이 가네.
서로가 서로를 이해하지 못해 불신하는 이 관계의 끝에서는
끝내 서로를 미워하며 절연하게 되겠지. 어쩔 수 없는 거야.

불통과 반목. 그것이 거듭될수록 우리는 멀어지는 것이기에
나는 모든 것을 내려놓았지. 대화가 통하지 않는다고 여겨.
그렇게 우리의 사이는 금이 가고 서로를 미워하게 되겠지.
어차피 사람은 타인을 온전히 이해하지 못해. 관계의 끝이
그리 멀지 않았어. 갈등으로 우리의 관계는 부서지고 말아.

불신

한때는 매우 절친했던 사이. 그러나 나는 너를 불신하고 있어.
한때는 친구라고 여겼던 사이. 그러나 나는 너를 믿지 못하네.
너의 가장 큰 문제점. 상대방을 쉽게 무시하고 자신의 가치를
과대평가하는 것. 그것이 너를 불신하게 되는 계기가 된 거야.
너의 뒷담화는 내 귀에 금세 들어와. 오해와 갈등은 방대해져.

너와 만날 때면 친근한 척하는 네 행동이 역겹고 또 불쾌해서
너와 거리를 두게 됐어. 너를 절대로 믿지 않아. 뒤돌아서면
타인에게 내 험담을 늘어놓을 너라는 것을 알기에 난 불신해.
뒤돌아서면 너는 누군가에게 내 험담을 하겠지. 그래서 나는
내 속내를 절대로 드러내지 않아. 오직 너에게만 그런 거야.

나는 아무것도 아니라고 말하며 자신의 능력을 과대평가하네.
너의 그 오만한 태도와 상대방을 우습게 여기는 너의 태도가
너를 불신하게 만들어. 나는 너를 믿을 수 없어. 불신하면서
우리의 관계는 어느새 멀어졌지. 너는 나를 알 수가 없겠대.
내 어두운 이면에 존재하는 불신은 네게 보이지 않는 감정.

우리가 서로를 친구라고 여겼던 시절. 그것은 진실이었을까?
어쩌면 그때부터 너는 그런 사람이지 않았을까? 나는 모르지.
너의 그 오만함과 가벼운 입이 너를 불신하게 만든다는 것을
스스로 자각하지 못하는 듯해. 그래서 너를 믿을 수가 없어.
금이 간 신뢰는 절대로 회복되지 않아. 그렇게 너와 멀어져.

인간의 악의

인간의 악의는 동심처럼 순수하다. 그 무엇보다 순수한 악의. 그것에는 아무런 이유가 없다. 인간의 악의는 그런 것이라서 수없이 많은 사람들이 원인을 규명하려고 하지만 실패하리라. 인간의 악의는 순수한 것이다. 그것에는 아무런 이유가 없다. 인간의, 인간에 의한, 인간을 향항 가장 순수한 악의를 보라.

사람이 사람을 싫어하는데는 특별한 이유가 필요하지는 않다. 사람이 사람을 미워하는데는 반드시 이유가 필요하지는 않다. 마치 어린아이의 동심처럼 순수한 악의. 그것을 품은 인간의 어두운 이면은 오히려 깨끗하다. 인간의 악의를 나는 보았다. 그 불쾌하고 비릿한 악의가 그 무엇보다도 순수한 것을 봤다.

사람이 사람을 싫어하고 미워하는데 계기가 있을지는 몰라도 이유는 존재하지 않는다. 인간의 악의는 가장 순수한 것이다. 어린아이의 동심에는 이유가 존재하지 않는 것처럼 순수하다. 자신의 어두운 이면에 숨은 악의는 드러나지 않는다. 그러나 그 악의는 언제나 인간을 향해 존재하는 어두운 이면에 있다.

자, 보라. 어두운 이면에 존재하는 순수한 악의를. 어두워서 보이지 않는 악의는 분명히 존재한다. 악의를 품은 당신에게 존재하는 미움은 이유가 필요하지 않다. 단지 그런 것이라서 악의를 품은 당신의 어두운 이면은 오히려 순수하다. 그렇다. 우리의 어두운 이면에 존재하는 악의는 순수하기에 깨끗하다.

미움

사람이 사람을 미워하는 것. 그것은 쉽게 드러나는 것이 아냐.
내가 당신을 미워하는 이유. 그것은 오랜 세월 누적된 것이지.
네가 나를 미워하는 이유. 그것에는 오랜 세월 쌓인 것이거든.
서로를 미워하게 된 계기는 있을지라도 미움에는 이유가 없어.
나는 너를 미워해. 네가 나를 미워하는 만큼 서로를 미워하네.

내게 이유를 묻지 마. 네게 이유를 묻지 않는 것처럼. 침묵해.
사람이 사람을 미워하는데 특별한 이유가 필요한 것은 아니야.
서로가 서로를 미워하는데 이유는 중요하지 않아. 미워하기에
미워하는데 왜 굳이 이유를 제시해야 해? 나는 너를 미워하고
너는 나를 미워해. 우리의 어두운 이면에 존재하는 그런 미움.

나는 너를 싫어해. 네가 나를 싫어하는 것처럼. 내 이면을 봐.
내가 너를 싫어하게 된 계기는 잊어버렸어. 그러나 여전한 것.
그 시작을 잊었다고 해도 서로 싫어하고 미워하는 건 동일해.
아무리 오랜 세월이 지났다고 해도 미움은 사라지지 않잖아.
서로를 싫어하고 미워하는 것은 이유가 필요하지 않는 거야.

그것에 의미를 부여하고 싶지 않아. 싫어하고 미워해. 그것에
어떤 의미를 부여하고 싶지는 않아. 단지 서로를 미워하는 것.
그 마음이 존재하는 동안 우리는 절대로 가까워지지 못하겠지.
어느 순간부터 미움이 옅어진다면 그것은 서로를 잊는 거야.
서로를 망각한다면 그때는 미움마저도 사라지는 것을 알아.

어두운 이면

어차피 무관심해. 네가 무엇을 하더라도 아무런 관심이 없어.
어차피 부질없어. 네가 어떤 말을 해도 그것을 믿을 수 없어.
내 어두운 이면에 존재하는 감정. 그것은 무관심과 불신이지.
어느 순간부터 그렇게 됐어. 관계에 금이 간 후로 그러했지.
네가 무엇을 해도 무관심해. 네 말은 믿을 수 없는 말이지.

생각해보면 정말로 그래. 우리가 멀어진 계기. 그 이후에는
무관심과 불신만이 가득해. 서로의 생각과 가치관으로 인해
발생한 갈등을 거듭한 후에 나는 네게 무관심해지고 불신해.
네가 무엇이 어떻다고 말해도 그건 나는 아무런 관심 없어.
네가 무엇을 한다고 해도 무관심해. 그냥 그런 것에 속해.

네가 무엇을 어떻게 한다고 해도 그것 내 관심사가 아니야.
네가 어떤 것을 해도 그건 나와는 철저히 무관한 것이라서
아무런 상관없지. 어차피 네 말 자체를 믿지 않아. 그래서
네가 무엇을 해도 나는 신경 쓰지 않을래. 그냥 그런 거야.
내 어두운 이면에 존재하는 것. 그건 무관심과 불신이니까.

참으로 부질없지. 친구라는 이름으로 관계를 정의하면서도
철저히 무관심해. 네가 어떤 말과 행동을 해도 그냥 그래.
그것이 나와 무슨 상관이 있는지 모르겠어. 그냥 좀 그래.
내 어두운 이면에 존재하는 것. 너에 대한 무관심과 불신.
그것이 존재하는 순간부터 우리 관계는 아무것도 아니지.

부질없는 것

그것은 부질없는 것고 아무런 의미도 없는 것이라고 생각했어.
관계의 지속성. 그것에 연연할 필요는 없다고 생각했었거든.
당신과의 관계. 악감정만 존재하는 관계는 부질없는 것이지.
생각해보면 정말로 그래. 어차피 악의만 남는 그런 관계야.
그것에 연연하기보다 과감히 끊는 것이 훨씬 중요한 거야.

당신은 아무리 그래도 인연은 절대 끊을 수 없다고 말했지만
그것은 부질없는 말이야. 당신의 말에는 아무런 의미도 없지.
당신이 어떤 말을 해도 귀담아 듣지 않아. 그것은 무의미해.
악감정만 남은 관계를 지속할 필요는 없지. 그것은 부질없어.
인연은 절대 쉽게 끊기지 않는다고 말하지만 당신은 아니야.

우리의 인연이 어느새 절연으로 끝났지. 그 원인을 찾는다면
당신의 잘못이라고 생각했어. 그리고 내 잘못도 있다는 것을
깨달았어. 하지만 그것은 부질없는 것이지. 무의미해진 거야.
이미 절연한 사이에 의미를 부여하는 것 자체가 부질없잖아.
그것에 연연하고 싶지 않아. 그것은 부질없는 것에 불과해.

오랫동안 끊긴 연락. 기억조차 가물가물해. 부질없는 것이지.
그것에 어떤 의미도 부여하고 싶지 않아. 그냥 그런 거니까.
부질없는 것에는 아무런 의미가 없다는 사실을 깨달은 후로
당신이 어떻든 간에 그건 나와 철저히 무관해졌어. 난 그저
당신을 잊었고 당신 또한 나를 그렇게 지우며 살아가겠지.

잘못의 경중

잘못의 경중을 따지는 당신을 보며 나는 쓴웃음을 지었어.
잘못의 경중을 따지자면 당신의 잘못이 무엇보다 큰 거야.
이제 와서 내 탓하지 마. 그것은 아무런 의미도 없으니까.
당신은 내 잘못을 따지려고 하지만 그것은 의미가 없거든.
그러기에는 당신의 잘못이 훨씬 크고 무겁다는 것을 알아.

스스로 의무와 책임을 버리고 도망친 자. 당신은 그 모든
잘못을 일일이 따지려고 하지만 그것은 의미가 없는 거야.
잘못의 경중. 이제 와서 내 잘못을 따진다고 과연 무엇이
달라지는지 묻고 싶어. 어차피 내 의견은 듣지 않을 당신.
내 말을 귀담아 듣지 않는 당신에게 내 말은 의미가 없어.

오랜 세월 동안 연락조차 하지 않는 관계. 그렇기에 나는
이미 오래전부터 당신을 잊고 살았어. 기억조차 희미해서
당신에 대해 어떤 것도 남지 않았어. 타인의 말을 절대로
경청하려고 하지 않는 당신에게 무슨 말도 들리지 않겠지.
그런 당신은 잘못의 경중을 따지려고 해도 의미가 없거든.

어차피 당신은 무조건 내 탓. 당신의 어두운 이면에 있는
그것은 무책임함. 잘못을 회피하려 하며 타인의 의견마저
듣지 않으려는 당신의 어두운 이면에 존재하는 것은 결국
우리의 관계를 영원히 멀어지게 했지. 그래서 잊어버렸어.
당신과의 모든 기억은 어느새 희미해졌어. 그렇게 잊었어.

타인의 의견

타인의 의견을 듣지 않는 당신. 무조건 반박하려는 당신에게 무슨 말을 해도 소용이 없겠지. 그래서 당신이 무의미해졌어. 타인의 의견을 경청하지 않는 자에게 대화는 아무 의미 없지. 어차피 자기 말만 늘어놓을 당신이라는 것을 알아. 무의미해. 당신과 만나는 것 자체가 무의미해. 그래서 인연을 끊었거든.

한때는 천륜이나 혈연이라고 했지. 하지만 그것은 의미 없어. 사람이 사람다워야 사람인 거야. 타인의 의견은 들리지 않아. 당신의 귀에는 타인의 말이 틀린 답이라고 여겨지는 건가 봐. 내 잘못이 있다면 당신과의 관계를 어쩔 수 없다고 여겼었던 그 시절일 뿐이지. 이미 오래전에 끊긴 인연은 사라져버렸지.

사소한 말조차 듣지 않으려는 당신에게 대화는 무의미하기에 나는 마음의 문을 닫았어. 타인의 의견은 받아들이지 않기에 당신과의 관계는 절대로 진전되지 않아. 어느 순간 연락조차 하지 않는 관계가 된 이후로 내 마음은 편해지고 자유로워져. 당신의 어두운 이면에 존재하는 것. 아집과 불통으로 가득해.

당신과의 악연은 이미 오래전에 끝났어. 타인의 의견을 절대 듣거나 믿지 않으려는 당신과의 관계는 파탄난지 오래되었지. 십 년에 가까원 세월. 그 긴 시간이 지나니 기억도 희미해져. 얼굴조차 기억이 희미해졌어. 이름조차 가물가물한 기억이야. 아집과 불통으로 가득한 당신의 이면이 내게는 최악이었거든.

위선자

겉으로는 선한 행동을 하지만 너의 추악한 어두운 이면에는
오직 자기 자신의 안위와 이익을 챙기려는 이기심이 존재해.
겉으로는 착한 척해도 뒤돌아서면 본성을 드러내는 너에게
존재하는 그 어두운 이면. 누군가를 돕지만 그 뒤에 서서
쓰레기 취급하고 열등하다고 말하는 네 모습을 난 보았지.

자신의 평판을 위해서 선한 행동하는 너를 칭찬하는 누군가.
그러나 네 어두운 이면에 존재하는 추악함을 나는 목격했지.
네게 가장 중요한 것은 너의 이익. 누군가를 돕는다는 것은
자신의 명예욕을 채우고자 하는 탐욕과 경제적 이익을 쫓는
너의 진정한 모습을 목격한 후로 나는 위선자가 역겨워졌어.

꾸준히 하는 봉사활동. 그러나 그 행동에 숨겨진 네 탐욕은
거짓된 위선일 뿐이야. 도움을 받는 이를 쓰레기 취급하며
열등한 종자라며 비난하는 너의 모습에 실망을 금치 못해.
아무렇지도 않게 빼돌리는 물건과 명예욕을 채우는 네 모습.
너의 추악한 이면을 목격한 후로 위선자가 역겨워진 나야.

누군가를 위해 봉사하는 행동은 칭찬을 받지만 실상은 아냐.
조금씩 물건을 빼돌리고 도움이 필요한 이를 쓰레기라면서
아무렇지도 않게 뒷담화하는 네 모습을 목격했어. 위선자.
겉으로는 착한 척해도 위선적인 네 모습이 역겹고 더러워.
위선자의 어두운 이면. 내가 목격한 너의 진실된 뒷모습.

거짓말쟁이

전부 거짓말이지. 순수한 마음으로 타인을 돕는다는 네 말은.
너는 거짓말쟁이. 오로지 자신의 안위와 이익을 위해 행동해.
물건을 나누어주는 봉사를 하는 너는 거짓말쟁이일 뿐이였어.
뒤돌아서면 험담. 추레한 모습의 노인을 보고 쓰레기 같다며
아무렇지도 않게 욕하는 네 모습을 보고 깜짝 놀라고 말았지.

겉과 속이 다른 거짓말쟁이. 너의 선의에는 악의만이 존재해.
지독히도 가난한 노인의 집에 방문해 봉사하는 너는 말했지.
인생을 어떻게 살았으면 이따위로 말년을 보내냐고 말했지.
오랜 친구의 너의 위선적인 말과 행동에 쓴웃음을 지었어.
오직 내게만 드러내는 추악한 네 본성이 깜짝 놀라고 말아.

겉으로는 착한 척. 타인에게는 아무렇지도 않게 거짓말하는
너의 어두운 이면을 목격한 후로 나는 너를 불신하게 됐지.
너는 내가 오랜 친구이기 때문에 본성을 쉽게 드러내는 중.
내 표정에 너는 이내 다른 말로 자신을 포장하지만 알았지.
너는 거짓말쟁이야. 겉과 속이 다른 거짓말쟁이에 불과해.

타인에게는 오직 순수한 선의라고 말하는 너. 그건 거짓말.
자신의 명예을 위해 평판을 관리하는 너의 행동은 거짓된
속내가 감춰졌어. 너는 네 이익을 위해서 평한을 관리해.
그러나 거짓말쟁이의 본성은 어디 가지 않아. 나는 봤지.
네 어두운 이면에 존재하는 추악하고 더러운 그 본성을.

거짓된 것

자신의 탐욕을 감추고 그럴듯하게 포장해. 그건 거짓된 것.
자신의 이익을 위해서 착한 척하는 널 봐. 그건 거짓일 뿐.
타인의 서신 때문에 하는 너의 행동은 거짓된 것에 속하니
나는 무표정한 얼굴로 침묵해. 나라고 다르지 않다는 것을
깨달은 후로 나는 너를 비난하지 못해. 그건 거짓인 거야.

거짓된 것. 자신의 평판이 이익으로 이어지는 것을 알기에
거짓된 것을 나무라지 못해. 나는 그저 침묵으로 일관했지.
네 거짓된 행동에 숨겨진 이면을 알기에 아무 말도 못했어.
거짓된 것. 그것을 비난하지 못해. 나라고 다라지 않으니.
자신의 평판과 타인의 시선이 중요하다는 것을 나도 알아.

네가 진정으로 바라는 것. 자신의 평판을 이용해 명예욕을
채우려고 하는 너의 욕심을 나는 알고 있어. 그러나 나는
너를 비난할 수 없어. 내 어두운 이면에 존재하는 그것은
너와 동일하거든. 나라고 너와 다를까? 스스에게 물었지.
거짓된 것. 그것은 나도 가지고 있다는 것을 나는 알았지.

차마 너를 비난하지 못하겠어. 네 거짓된 것에 내 마음은
거부감을 느끼지만 그건 너도 마찬가지겠지. 그저 침묵해.
너와 나는 근본적으로 다르지 않아. 네 거짓된 행동에는
스스로 욕심을 채우기 위해서라는 것을 알지만 침묵했어.
그래. 나라고 다르겠니? 거짓된 것은 나도 마찬가지야.

위선

누군가를 위해 봉사하는 것. 진심이 없는 너의 위선적 행동.
누군가를 위해 행동하는 것. 그것은 너의 이익을 위한 행동.
내가 보기에 너는 위선자야. 자신의 안위와 이익을 위한 것.
타인을 위한 이타심이 아니라 자신을 위한 이기심인 거니까.
그러나 너의 위선에 나는 아무 말도 하지 못해서 침묵했지.

타인의 위선을 나무라는 자. 그러나 그것을 비난할 수 없어.
이타적인 행동에 숨겨진 어두운 이면. 그것은 이기심이지만
나는 차마 어떤 말도 하지 못하겠어. 당신은 위선적은 너를
비난하고 나무라지만 나는 그러고 싶지 않아. 그저 침묵해.
이기심이 이타심으로 포장되지만 무조건적인 악은 아니지.

자신의 평판을 위해서. 자신의 욕구를 채우기 위해서. 그래.
그것을 위해서 봉사하며 행동하는 너의 행동은 위선적인 것.
그런 너를 보고 위선자라고 비난하는 당신의 행동도 더러워.
이기심을 이타심으로 포장해서 타인을 돕는 너의 그 행동은
자신의 욕망을 채우기 위해서라고 해도 선한 행동은 맞거든.

그런 너를 위선자라면서 비난하는 당신에게 나는 묻고 싶어.
이기심을 솔직함으로 포장하며 탐욕을 부리는 당신의 모습.
차라리 위선자가 나은 듯한데 말이야. 당신은 탐욕의 화신.
더 많은 것을 가지기 위해서 행동하는 당신이 나는 역겨워.
네가 위선자라고 해도 추악한 당신보다는 훨씬 나은 듯해.

추악한 모습

술에 잔뜩 취해 막말을 퍼붓고 온갖 추태를 부리는 당신에게
차마 할 말을 잃었지. 성실하고 착한 이미지를 가진 당신의
추악한 모습에 나는 아무 말도 하지 못하고 조용히 정리해.
술에 취해 온갖 추태를 부려. 막말과 폭언. 공격적인 행동.
그리고 이어지는 온갖 추억한 행동에 실망을 금치 못하네.

자신에 대한 평가. 자신이 대단한 능력자인 것처럼 포장하네.
타인에 대한 평가. 그는 아무것도 아닌 쓰레기라고 막말하네.
이성에 대한 평가. 음란하고 성적인 표현을 아무렇지도 않게.
술에 취해 이어지는 막말과 폭언. 폭력적인 행동을 하는 자.
술만 마시면 개가 되는 당신의 추악한 모습이 그저 역겹지.

평소에는 착하고 성실하다는 이미지. 하지만 과연 그러할까?
술을 마시면 내 앞에서 아무렇지도 않게 추악함을 드러내는
당신의 모습에 실망했어. 어두운 이면에 존재하는 진심이야.
추악하고 더러운 속내를 내게는 쉽게 드러내는 당신이잖아.
당신의 추악한 모습에 나는 침묵하며 마음의 정리를 끝내.

술에 취할 때면 드러내는 추악한 모습. 당신의 그 모습에는
자신의 어두운 이면이 고스란히 드러나네. 추악함에 실망해.
당신의 추악한 모습을 봤어. 타인이 알지 못하는 추악함에
실망감을 금치 못하고 나는 마음을 정리해. 추악한 모습을
나는 여러 번 목격했지. 그런 당신과 인연을 정리해야겠어.

불의의 사고

그것은 불의의 사고였다고 말하며 쓴웃음을 짓는 당신을 봐.
그것은 충분히 예방할 수 있는 문제였지만 모르는 척하면서
씁쓸한 척하는 당신의 진의를 파악해. 당신의 어두운 이면.
겉으로는 안타까워하지만 속으로는 좋아하는 당신의 마음.
사실 처음부터 알고 있었어. 당신의 악의를 나는 목격했지.

타인의 사고. 그것은 예측할 수 있었지만 모르는 척한 당신.
우연한 사고. 과연 그것이 정말로 우연한 사고에 불과할까?
불의의 사고. 그것은 우연한 것이라고 해도 나는 목격했지.
사고를 당한 그를 외면하고 모르는 척하며 지나가는 당신.
그 우연한 모습에 나도 모르게 쓴웃음을 지으며 불쾌하네.

그래. 그것은 불의의 사고야. 그러나 나는 당신을 목격했지.
그의 사고에 당신은 쾌재를 부르며 웃으며 지나가는 장면을.
당신의 어두운 이면에 존재하는 진의는 기쁨이라는 사실을
깨달은 후로 당신이 다르게 보여. 하지만 나는 침묵을 해.
어떤 증거도 없는 것은 차마 말하지 못하는 것이 되니까.

당신에게 묻고 싶어. 불의의 사고를 보고 웃던 당신의 모습.
생각해보면 충분히 예방할 수 있었던 것 같은 그런 사고야.
불의의 사고가 발생하고 입원한 그 사람을 보고 웃던 당신.
당신의 진의는 무엇인가? 당신의 악의는 드러나지 않겠지.
그렇기에 나는 침묵하며 고개를 돌려. 그저 쓴웃음만 나와.

악의

인간의 순수한 악의. 그것에는 어떤 이유도 필요하지 않아.
인간이 인간을 미워하고 싫어하는 것에는 이유는 불필요해.
악의라는 이름의 순수한 감정은 그 어떤 이유도 무의미해.
누군가를 사랑하는 것처럼 그것에는 이유가 없는 거니까.
나는 보았지. 가장 순수한 악의를 품은 인간의 추악함을.

그 무엇보다 순수한 악의. 그것에는 특별한 이유는 없거든.
사랑에는 이유가 없는 것처럼 악의도 마찬가지. 그 순수한
악의에는 특별한 이유가 필요하지 않아. 악의의 시작에는
계기가 존재하겠지. 하지만 그것은 이유는 존재하지 않아.
인간의 악의. 사랑만큼이나 순수한 악의는 이유가 없어.

내가 너를 미워하고 싫어하는데 이유가 필요한 것은 아냐.
네나 나를 미워하고 싫어하는데 이유가 없는 것과 똑같아.
더 이상 무슨 이유가 필요하겠니? 인간의 어두운 이면에
존재하는 악의는 마치 사랑처럼 이유가 존재하지 않아.
사랑은 사랑인 것처럼 악의는 악의가 되어 존재하는 것.

나는 보았지. 사랑만큼이나 순수한 악의를. 인간의 이면.
그것에 존재하는 추악함은 사랑만큼이나 당연한 거니까.
우리의 어두운 이면. 서로 다르지 않은 어두운 이면에는
사랑만큼이나 순수한 악의가 존재해. 이유는 의미 없어.
이유가 있는 악의는 어느 순간 이유를 상실하고 말아.

이면

사람의 어두운 이면에 존재하는 것은 절대 드러내지 않는 것.
내 어두운 이면에 존재하는 것은 타인에게 드러내지 않았어.
타인도 자신의 어두운 이면을 드러내지 않으며 살아가잖아.
아무리 친해도 절대 쉽게 드러내지 않는 이면에 감춰진 것.
누구에게도 말하지 못하는 자신의 이면은 언제나 비밀이지.

무례함을 솔직함으로 포장하는 당신의 이면을 나는 목격했지.
타인의 시선은 아랑곳하지 않고 솔직하게 말한다는 당신에게
존재하는 어두운 이면은 열등감이야. 솔직함으로 포장하려는
당신의 무례함. 그 이면에 존재하는 열등감은 훤히 보이지만
나는 끝내 침묵하며 고개를 돌려. 그 추악한 악취가 역겨워.

스스로 자신의 이면을 감추고 연기해. 이면에 감춰진 그것을
무의식적으로 드러내는 너의 추악한 악취에 인상을 찌푸렸지.
솔직함으로 포장하려는 무례함이 당신의 본성이라면 침묵해.
당신의 추악한 이면에 존재하는 열등감은 악취가 가득해서
코를 막고 입을 닫아. 나는 당신의 이면을 외면하고 말았지.

자기 자신의 이면을 감추는 것이 인간의 본성. 그 이면에는
자신이 감추고자 하는 것이 존재해. 무의식적으로 드러나는
당신의 추악한 이면. 솔직함으로 포장하는 무례한 천성에는
열등감이 존재해. 추악하기 그지없는 그 이면을 목격하고
침묵해. 내 어두운 이면에 존재하는 것도 다르지 않으니.

모순

무언가 모순되는 말. 앞뒤가 맞지 않는 너의 말에 침묵했어.
자신이 어떤 말을 하는지 자각하지 못하는 듯한 너의 그 말.
분명히 모순점이 존재하지만 나는 침묵하며 고개를 끄덕여.
이미 오래전부터 부서진 신뢰에 너의 모순을 지적하고파.
하지만 끝내 침묵해. 불필요한 갈등은 피하고 싶은 나니까.

앞뒤가 전혀 맞지 않아. 너의 모순된 말은 거짓. 그럼에도
나는 침묵해. 불필요한 갈등을 겪고 싶지 않아. 침묵하며
애써 긍정하는 척해. 스스로 자각하지 못하는 듯한 너의
그 모순된 말은 전혀 신뢰가 가지 않아. 처음부터 그랬어.
애초부터 존재하지 않는 신뢰에 나는 너를 믿을 수 없어.

타인의 말이었다면 한 귀로 흘려들었을 너의 모순된 말이
거슬리지만 침묵해. 스스로 자각하지 못하는 듯한 모순.
그 말 자체가 거짓이라는 것을 간파했지만 나는 침묵해.
불필요한 갈등은 하고 싶지 않아. 만사가 귀찮은 시간.
그저 침묵하며 고개를 끄덕여. 모르는 척하고 넘어가.

네 모든 말은 앞뒤가 맞지 않아. 모순으로 가득한 네 말.
애초부터 존재하지 않는 신뢰. 너의 모순된 말을 침묵해.
그다지 지적하고 싶지 않아. 그것은 무의미한 것이니까.
불필요한 갈등에 시간 낭비하고 싶지 않아. 그냥 그래.
너의 모순된 말을 한 귀로 흘려들으며 나는 침묵했지.

거짓말

마치 숨쉬는 것처럼 자연스럽게 내뱉는 거짓말에 한숨 쉬어.
그것이 마치 진실인 것처럼 말하는 거짓말에 깊어지는 한숨.
눈에 훤히 보이는 너의 거짓말에 나는 아무 말도 하지 않아.
쓸데없는 것에 감정 소모하고 싶지 않아. 그래서 침묵했지.
어쩌면 거짓말은 인간의 본능인지도 모르지. 정말로 그래.

나라고 무엇 하나 다르지 않다는 것을 알기에 침묵을 지켜.
지금껏 살아오면서 수없는 거짓말을 했던 지나간 세월이야.
너의 뻔한 거짓말에 한숨을 쉬고 침묵해. 너의 그 거짓말.
그것이 사실이 아니라는 것을 알지만 다투기 싫지는 않아.
거짓말이 나쁘다는 것을 알지만 누구나 하는 거짓말이야.

마치 숨쉬는 것처럼 하는 거짓말. 너의 거짓말이 지겨워져.
하지만 감정 소모하고 싶지 않아서 침묵해. 모르는 척하고
넘어가기로 해. 쓸데없이 다투고 싶지 않은 마음에 침묵해.
어색하게 웃는 너를 뒤로하고 집으로 향하는 길. 무엇인가
불편한 마음에 한숨이 저절로 나오지만 넘어가고 말았지.

나라고 무엇 하나 다르지 않아. 지금껏 살아오면서 했었던
거짓말을 기억해. 그래서 나는 너를 나무라고 싶진 않아.
누구나 거짓말을 하며 살아가니까. 우리의 어두운 이면.
상황을 회피하게 위해서 하는 거짓말을 이해하는 마음에
집으로 돌아오는 길은 유독 길게 느껴지에. 씁쓸하게도.

그냥 그런

당신은 그냥 그런 사람이야. 아무렇지도 않게 내뱉는 막말과
폭력적인 행동. 저절로 느껴지는 거부감에 거리를 두는 나는
당신을 절대로 가까이 하고 싶지 않아. 누군가가 떠오르거든.
절대로 마주하고 싶지 않은 그 사람이 떠올라서 깊은 한숨을.
당신은 그냥 그런 사람이야. 타고나기를 그렇게 태어난 사람.

막말과 폭언을 내뱉는 당신의 폭력적인 행동. 거부감을 느껴.
당신은 그냥 그런 사람이야. 타고난 천박함이 그대로 드러나.
그래서 나는 당신과 절대로 가까이 하지 않아. 추악한 당신.
당신은 그냥 그런 사람이라는 것을 알기에 전화번호를 지워.
문득 떠오르는 그 사람. 마음속 거부감이 더욱 강렬해지네.

타고난 천박함이 고스란히 드러나는 당신의 언행에 실망했어.
하지만 어쩌겠어? 타고나기를 그렇게 태어난 당신일 뿐인데.
마치 그 사람 같아. 천박하기 그지없는 그를 닮은 당신이야.
그와 당신은 전혀 다르지 않아. 당신이 죽도록 미워하지만
당신의 몸에 흐르는 핏줄은 절대로 어디 가지 않는가 봐.

그냥 그런 거야. 타고난 천박함이 말과 행동으로 나오는 것.
스스로 억제하지 못하는 막말과 폭력적인 행동은 그 사람과
몹시 닮았어. 저절로 느껴지는 거부감. 당신을 떠나는 것은
마냥 나 하나뿐은 아닐 거야. 당신의 곁에는 아무도 없겠지.
당신이 죽도록 미워하는 그의 곁에 아무도 없는 것과 같이.

타고난 천성

타고난 천성은 절대로 변하지 않는다는 네 말에 고개 끄덕여.
너의 어두운 이면에 존재하는 천성은 절대로 변하지 않겠지.
그 누구보다 이기적이고 거짓으로 점철된 네 인생을 본다면
강한 확신이 들어. 타고난 천성은 절대로 변하지 않는 것.
지금까지 지켜본 너의 모습을 보면 천성은 원래 그런 거야.

아무리 조언해도 듣지 않는 너. 어느 순간부터 나는 침묵해.
어차피 너의 생각과 행동은 변하지 않아. 그래서 침묵했지.
타고나기를 그렇게 태어난 네게 무슨 말을 할 수가 있겠니?
너와의 인연은 이미 오래전에 끝났기에 너는 잊히고 말겠지.
타고난 천성 자체가 이기적이고 거짓으로 점철된 너였으니.

그 이기심 때문에 너는 어디에 가서도 끝내 적응하지 못해.
너무 쉽게 하는 거짓말. 그로 인해 실망하는 여러 사람들.
그로 인해 나도 너를 절연했지. 타고난 천성은 변치 않아.
이미 오래전에 끊긴 인연. 그건 추억이 아니라 악연이야.
타고난 천성은 절대로 변하지 않는다는 말에 나는 공감해.

너와 절연한 이후로 차라리 속편하지. 타고난 천성 자체는
절대로 변하지 않아. 타고나기를 그렇게 태어난 너의 본성.
애초에 그런 사람에게 무엇을 기대하겠니? 그냥 그런 거지.
너를 보고 배웠어. 자신의 천성은 절대 변하지 않다는 것.
나는 내가 타고난 기질이 무엇인지 진지하게 사색하게 돼.

반성

잘못을 인정하지 못하고 반성하지 않으려는 습성을 이해해.
잘못을 받아들이지 못해서 반성하지 않는 사고방식을 나는
스스로 인정했어. 내 어두운 이면에 존재하는 그런 성질은
아마도 긴 시간이 지나도 쉽게 변하지 않을 것을 인지했어.
나는 나를 알아. 잘못을 쉽게 인정하지 않는 마음가짐이야.

지금껏 살아왔던 세월을 돌아보면 정말 그래왔지. 내 잘못.
스스로 인정하지 못하고 반성하지 않는 내 기질을 인정해.
내가 납득하지 못하는 잘못은 인정하지 않으려는 태도에
당신은 실망했겠지. 그래서 나는 반성해. 내 이런 태도.
나는 내가 납득하지 못하면 잘못을 인정하려고 하지 않아.

나이를 먹으니 내가 나를 인정하게 됐어. 내가 잘못한 것.
그것을 스스로 납득하지 못하고 반성하지 않는 그런 태도.
스스로 반성해. 내가 납득하지 못해도 잘못했다는 사실은
달라지지 않아. 타고난 기질 자체가 그렇지만 난 반성해.
타인에게 상처를 주고 실망시킨 나 자신을 반성해야겠어.

그렇지 않는다면 발전은 없어. 잘못을 반성하는 마음가짐.
내 어두운 이면에 존재하는 것은 잘못을 인정하지 못하는
마음가짐과 반성하지 않는 것. 그것 자체를 반성해야겠어.
내가 저지른 잘못에 대한 반성. 그런 태도가 필요하니까.
그래. 내 어두운 이면을 자각하고 스스로 반성해야겠어.

잘못

자신이 저지른 잘못을 인정하지 않는 것. 당신도 마찬가지야.
자신이 저지른 잘못을 자각하지 못하는 것. 당신은 그러하지.
잘못을 인지하고 납득하는 것. 그리고 그것을 반성하는 것.
나는 내가 납득한 잘못을 반성해. 당신과는 정반대의 성향.
이것 나와 당신을 구분하는 것이 되는 기준이 되는 거니까.

당신은 절대로 인정하지 않아. 스스로의 잘못을 부정하면서
자신은 절대로 어떤 잘못도 저지르지 않았다고 확신하잖아.
몹시 위험한 사고방식. 당신에게 실망해서 인연을 끊었지.
무책임하게 도망친 당신은 자기 잘못을 깨닫지 못하기에
아무런 죄책감도 느끼지 못해. 당신은 원래 그런 사람.

실망감을 감추지 못해. 난 납득한 잘못을 인정하고 반성해.
당신은 어떤 잘못도 인정하지 않으며 그 어떤 반성도 없지.
그것이 나와 당신의 차이. 그렇다면 이 관계를 끊어야겠지.
무책임하게 의무와 책임을 버리고 도망친 당신의 그 행동.
그것이 싫어서 오래전에 절연한 우리의 관계는 소멸됐어.

당신이 어떤 삶을 살아가더라도 나는 관심을 가지지 않아.
이미 오래전에 끊긴 인연. 당신과 인연의 시작 그 자체가
잘못된 거였어. 10년에 가까운 세월 동안 연락하지 않은
우리의 관계. 그 어두운 이면에 존재하는 갈등과 반복은
서로를 절대로 이해하지 않으려는 것만 존재하고 있어.

천성

그냥 원래 그런 사람이래. 그것이 그 사람의 천성이라고 해.
그냥 원래 그랬던 사람이래. 그게 그 사람의 천성이라 말해.
허울뿐인 그럴듯한 말에 나도 모르게 쓴웃음을 짓고 말았어.
그것을 천성으로 매도하기에는 지나치게 이기적인 당신이야.
그러나 나는 차마 어떤 말도 하지 못해서 침묵을 지켜야지.

이기적인 행동과 습관적인 거짓말. 그것이 천성이라 말하는
당신에게 내가 무슨 말을 할 수 있겠어? 아무 말도 못하지.
매우 이기적인 당신의 천성이 그렇다면 어쩔 수 없는 거야.
지나치게 이기적인 당신은 습관적으로 거짓말을 내뱉지만
그것이 당신이 말하는 천성이라면 어쩔 수 없는 것을 알아.

나는 침묵해. 그것이 당신의 천성이라면 할 말이 없으니까.
그것이 천성이라면 내가 무슨 말을 하겠어? 그냥 그렇지.
고개를 돌리고 내 갈 길을 가. 자기 스스로가 천성이라고
포장하는 당신의 이기심이 싫어서 나는 내 갈 길을 걸어.
내 어두운 이면에도 그런 기질이 있다는 것을 인정하면서.

나도 이기적인 면모가 없지는 않아. 나라고 과연 다르겠니?
사람은 누구나 이기적인 면이 있다는 것을 알기에 침묵해.
당신이 천성이라고 말하는 그것은 인간의 어두운 이면에
존재하는 것. 하지만 습관적인 거짓말은 동의하지 못해.
그래. 당신의 그것이 천성이라면 차마 할 말이 없거든.

습관적 거짓말

습관적으로 거짓말하는 당신의 말을 도무지 믿을 수가 없어.
숨쉬는 듯이 거짓말하는 당신의 말에 신뢰는 존재하지 않아.
자신의 나이부터 직업까지 전부 거짓말. 진실은 무의미하게.
적절히 거짓말로 포장된 당신의 모든 것은 거짓말일 뿐이지.
절대로 신뢰할 수 없는 당신의 말은 온통 거짓말일 뿐이야.

나는 발견했지. 타인에게 다른 말을 하는 당신의 그 거짓말.
또 다른 사람에게 다른 말을 하는 당신의 말은 거짓말이야.
이름도 나이도 직업도 매번 달라지는 습관적 거짓말. 그건
타고난 본능인가? 그게 아니라면 허언증에 불과한 것일까?
이제는 눈에 훤히 보이는 당신의 어두운 이면을 발견했어.

상대방과의 관계에 우위를 점하기 위해서 하는 거짓말에는
진실이 존재하지 않아. 자신이 우위를 점해 이익을 취하려
거짓말하는 당신의 어두운 이면에는 진실은 존재하지 않아.
그것을 알기에 나는 당신을 절대로 믿지 않아. 불신만이
존재하는 우리의 관계는 이미 파탄났고 금이 간 조각이지.

습관적 거짓말. 그것은 허언증인가? 자신의 이익을 위해서
습관적으로 내뱉는 거짓말. 타인에게 하는 말이 모두 달라.
듣는 사람마다 다른 자기소개. 도무지 믿음이 가지 않아.
당신은 습관적으로 거짓말을 내뱉어. 그래서 의심스러워.
그것은 당신의 어두운 이면이지. 그건 당신을 불신하게 해.

추악

사람의 본성은 추악해. 인간은 선하다고 믿는 당신도 똑같아.
사람의 본성은 추악해. 인간은 악하다고 믿는 나도 똑같거든.
인간의 어두운 이면에 존재하는 것. 그것을 직시한 순간부터
나는 사람의 선한 본성을 믿지 않았어. 우리의 어두운 이면.
그것에 존재하는 것은 깨끗하고 순수한 것이 아니라는 사실.

인간이란 믿을 만한 존재가 아니야. 신뢰하는 것보다 적당한
의심이 약이 되는 세상이야. 의심이 해소되지 않는다면 그건
온전히 믿을 수없다는 것. 나는 인간의 추악한 이면을 봤어.
원래 인간은 악한 존재가 아니라고 믿는 당신의 말에 웃어.
당신의 말에 반대하지 않아. 이것 단지 생각의 차이니까.

인간은 선하다고 말하는 당신. 인간은 악하다고 말하는 나의
근본적인 차이는 과연 무엇일까? 나는 아무 말도 하지 않아.
내가 생각하는 인간의 어두운 이면에 존재하는 그 추악함은
당신에게는 그런 것이 아니니까. 이건 생각의 다름인 거야.
인간의 본성은 원래 선하다고 말하는 당신의 말에 침묵해.

나는 인간을 믿지 않아. 인간의 어두운 이면을 나는 보았지.
그 추악한 악의를 목격한 이후로는 인간은 악하다고 여겼어.
하지만 당신은 나와 다르게 생각해. 그 말을 부정하진 않아.
이것은 바라보는 관점과 생각의 차이. 단지 그런 것뿐이야.
그것을 알기에 나는 당신의 말에 긍정도 부정도 하지 않아.

의심

나는 사람을 의심해. 절대 쉽게 드러내지 않는 의심을 감춰.
내 의심이 맞다면 봉변을 겪지 않겠지. 의심이 해소된다면
비로소 당신을 신뢰할 수 있겠지. 나는 의심하며 행동해.
자신을 믿을 것을 요구하는 사람은 가장 의심스러운 사람.
자기 확신에 차서 자기 말이 맞다고 생각하는 너도 그래.

내 의심은 오래됐어. 어쩌면 병이라면 병. 내 의심의 원인.
그것을 규명하기에는 너무 늦었어. 사람을 믿지 않는 것은
인간에 대한 불신이야. 내 어두운 이면에 존해자는 불신은
아주 오래된 감정이지. 나는 너를 믿을 수 없어서 의심해.
지나친 의심은 병이라고 하지만 적당한 의심은 약이 되네.

내가 의심하는 것. 그것이 사실이라면 그 위험에서 벗어나.
내가 의심하는 것. 그것이 거짓이라면 내 착각에 불과해서
그때는 믿어야겠지. 내 어두운 이면에 존재하는 의심에는
오랜 세월 동안 쌓엔 인간에 대한 불신. 나는 깨달았거든
인간은 그렇게 믿을 만한 존재가 아니라는 사실을 말이야.

내 어두운 이면에 존재하는 인간에 대한 불신과 의심이야.
내 어두운 이면에 존재하는 의심은 타인을 불신하는 거야.
하지만 이것이 지나치다면 독이 된다는 사실을 깨달았어.
지나친 불신은 그저 망상이 되기 십상이지. 나는 침묵해.
내 어두운 이면에 존재하는 의심을 조절하기 위한 침묵.

알코올 중독자

네 어두운 이면에 존재하는 것은 공허함. 그것을 목격했지.
텅 빈 마음은 어떤 것으로도 채워지지 않아. 매일 밤이면
술에 잔뜩 취해 방황하는 너는 갈 길을 잃고 배회하잖아.
아무리 술을 마셔도 절대로 채워지지 않는 공허한 마음에
너는 서서히 망가지고 있고 모두가 너를 떠나가고 있어.

네가 알코올 중독자가 된 이유. 지독히도 공허한 마음에는
온통 부정적인 감정만이 채워져. 그것은 부정적인 생각의
원인이 되어 존재하지. 너는 알코올 중독자가 되고 말았어.
네 주변에는 아무도 없이. 스스로 채우지 못하는 공허함은
그 누구도 대신 채워주는 못해. 너는 스스로 망가지겠지.

너는 알코올 중독자. 네 주변에 아무도 없는 결정적 이유.
누가 알코올 중독자를 상대해주겠니? 너를 반기는 사람은
아무도 존재하지 않아. 네 어두운 이면에 존재하는 그것.
그 공허함의 원인은 온전히 네게 있어. 누구도 모르겠지.
누구도 너를 이해할 수 없어. 그건 온전히 네 몫이니까.

매일 밤이면 밤마다 마시는 술. 그렇게 망가지는 네 곁에
가족도 친구도 없어. 네가 술을 마시는 이유는 네게 있어.
너는 공허하다며 매순간마다 술을 마시지만 그 끝에서는
지독한 공허함만 남겠지. 네 곁을 떠나버린 모든 사람들.
너는 누가 탓도 하지 못해. 네가 스스로 망가진 거니까.

중독

스스로 선택한 것. 스스로 몰락의 지름길로 향한 너의 걸음.
처음에는 몰랐겠지. 너도 그 정도로 망가질지 너도 몰랐지.
하지만 말이야. 그것은 온전히 네가 선택해서 시작한 거야.
서서히 망가지다가 어느 순간 순식간에 무너진 너의 곁에
아무도 존재하지 않아. 너를 반기는 곳은 교도소가 아닐까?

우리가 흔히 중독이라고 말하는 것. 그것에 빠진 네 곁에는
아무도 존재하지 않아. 절대로 인정하지 않는 너의 중독은
이미 정신병이야. 너의 어두운 이면에 존재하는 것을 봤어.
너는 절대로 인정하지 않지만 그것은 중독에 불과한 거야.
네가 가야 할 곳은 교도소뿐이겠지. 솔직히 말해서 그래.

어느 순간부터 쫓겨다니는 너. 숙식조차 해결하지 못한 채
정처 없이 떠돌아다니며 이리저리 도움을 청하는 네 모습.
그것이 한심해서 나는 너를 절연했지. 이미 망가져버렸어.
네 육체도 정신도 이미 망가졌어. 너의 중독에 무관심해.
내게 해가 되는 너의 중독을 멀리하기 위해 너와 절연했지.

너는 네가 스스로 선택했지. 그것을 시작했고 그것을 단지
기회로 잡은 것은 온전히 너의 너의 선택이었어. 결국에는
중독자가 되어 완전히 망가진 너를 반길 사람은 없는 거야.
가족도 친구도 모두 너를 외면하고 나 또한 너를 절연했지.
중독자의 말로는 비참해. 너는 그렇게 홀로 남겨진 거야.

가해자

자신의 잘못을 인정하지 않는 가해자. 끝내 잊고 살아가네.
자신의 잘못을 자각하지 않는 가해자. 끝내 잊고 살아가네.
너의 추악한 이면을 보았을 때 나는 씁쓸함을 감추지 못해.
너의 어두운 이면에 존재하는 악랄하고 추악한 그 본성을
스스로 자각하지 못하겠지. 너는 가해자라는 것도 모르지.

악의에는 특별한 이유가 존재하지 않아. 정말로 그런 거야.
악의에는 특별한 이유가 필요하지 않아. 순수한 악의 속에
오직 자신의 재미를 위해서 상대방을 괴롭히는 너의 본성.
나는 그것을 목격한 후로 인간을 불신하게 됐어. 보았지.
긴 세월이 흐른 후에 너는 그것을 철저히 망각했다는 것.

여전히 잘살고 있겠지. 가해자는 언제나 그렇듯이 망각해.
자신이 저지른 잘못을 인정하지 않으며 그것을 망각하며
살아가겠지. 인간은 참으로 추악한 존재야. 피해자에게
진정 어린 사과를 하지 않아. 끝내 잊고 살아가는 너야.
오래된 기억. 그러나 절대 용서하지 못하는 너의 악의.

아무런 댓가도 치르지 않는 가해자. 그는 그렇게 살아가.
피해자는 마음의 상처를 품고 살아가지만 너는 잊었겠지.
언젠가는 죗값을 치르는 것이 세상이라고 말하지만 아냐.
어떤 죗값도 치르지 않고 오히려 잘사는 것이 세상이야.
너의 어두운 이면에 존재하는 추악한 진실을 사라지고.

악의

당신의 어두운 이면에 존재하는 악의는 몹시 추악한 것이다.
상대를 몹시 괴롭히던 그 시절의 당신의 잘못은 사라지리라.
피해자의 아픔은 절대 사라지지 않을 흉터가 되어 남으리라.
칼날을 품은 악의는 당신을 향하지만 달라지는 것은 없다.
죗값을 치르지 않는 당신의 악의는 여전히 현재진행형이다.

나는 보았다. 악의를 품고 타인을 괴롭히던 당신의 그 이면.
나는 알았다. 악의를 품고 타인윽 죽이려던 당신의 그 이면.
그러나 절대로 죗값을 치르지 않는 것은 세상의 모순이다.
죄를 지으면 그에 상응하는 댓가를 치른다고 하지만 끝끝내
그 어떤 댓가로 치르지 않는 당신은 멀쩡히 살아가고 있다.

인간의 어두운 이면에 존재하는 악의. 추악함이 깃들었기에
더러운 악취를 풍기지만 끝내 어떤 댓가도 치르지 않는 것.
피해자는 평생을 흉터를 품고 살아가겠지만 당신은 모른다.
자신의 악의를 위해 상처를 입고 눈물을 흘리는 그 사람은
당신을 향해 악의를 품지만 그것은 끝내 잊히고 사라진다.

세상은 교과서가 아니다. 현실은 교과서와 정반대의 것이다.
가해자는 죗값을 치르지 않는다. 피해자는 흉터를 가지고서
오랫동안 괴로워할 것이다. 당신의 어두운 이면에 존재하는
그 악의가 타인을 눈물 흘리게 했지만 상응하는 것은 없다.
그렇게 당신은 그것을 잊고 오히려 당당하게 살아가겠지.

텅 빈 거리에서

텅 빈 거리에서 나는 저 회색빛 먹구름 낀 하늘을 응시한다.
이윽고 떨어지는 빗방울에 걸음을 재촉한다. 하지만 슬프다.
텅 빈 거리에서 오직 나만 남아 지독히도 공허한 고독이여.
내 어두운 이면에 존재하는 고독만이 나와 함께 걷는구나.
오래되어 익숙하지만 친밀해질 수 없는 고독만이 함께한다.

텅 빈 거리에서 나를 반기는 이는 아무도 없다. 지독하게도
공허한 마음에 고독이 나를 반긴다. 나는 그저 홀로 걷는다.
내 어두운 이면에 존재하는 오래된 고독만이 나를 반긴다.
조금씩 거세지는 빗줄기에 걸음을 재촉하지만 가기 싫다.
집으로 돌아가는 길. 그곳은 공허함만이 존재할 테니까.

오래되어 익숙한 고독이여. 텅 빈 거리에서 나를 기다리는
그것은 공허함이니 나는 슬프다. 내 어두운 이면에 잠재된
고독이라는 이름은 절대로 나를 떠나지 않을 유일한 친구.
사람을 불신하여 누구도 곁에 두지 않는 내 곁을 차지한
고독은 텅 빈 거리에서 나와 함께 걷는다. 나는 살아간다.

이 길의 끝에도 도착할 우리 집. 익숙하지만 어색한 우리.
우리라는 단어는 자주 쓰이는 단어지만 내게는 어색하다.
나와 함께 걷는 고독이 말한다. 우리 집에 존재하는 것.
그것은 공허함이니 끝내 자유로워질 수 없는 것이라고.
텅 빈 거리에서 나는 비에 젖는다. 고독에 젖어 무겁다.

기나긴 침묵

기나긴 침묵이다. 더디게 흘러가는 시간은 느리게 걸어간다.
뜨거운 커피를 천천히 마시며 침묵한다. 이 침묵이 깨지면
나는 비로소 너로부터 자유로워질 수 있을까? 그건 아니다.
인간은 누구나 외롭다고 말하지만 나의 고독은 더욱 깊다.
이 뜨거운 커피처럼 깊고 짙은 나의 고독은 그런 것이다.

아무도 없는 공간. 더디고 느리게 흘러가는 시간이 멈춘다.
세상에 한순간에 멈추는 것 같다. 고독은 긴 침묵을 깨고
혼잣말을 중얼거린다. 귀를 기울이자 고독은 그저 웃는다.
기나긴 침묵을 깨는 고독은 내 유일한 친구로서 존재한다.
나는 침묵을 깨지 못한다. 오직 고독만이 그러할 뿐이다.

내 이면에 존재하는 오래된 고독은 기나긴 침묵을 지킨다.
나와 오랜 세월 동안 함께했던 고독은 이 침묵을 깨지만
나는 차마 어떤 말도 하지 못해 침묵한다. 고독이 말한다.
내 이면에 존재하는 어두움은 오직 자신으로부터 비롯된
모든 것이라고. 나는 차마 반박하지 못해 그저 침묵한다.

이것은 내가 의도한 것이 아니다. 내 의사와는 무관하여
내가 어찌하지 못하는 고독은 내 이면에 잠재되어 있다.
인간은 누구나 외롭다고 하지만 더욱 깊고 짙은 고독이
혼잣말을 중얼거린다. 나는 혼잣말을 중얼거리고 있다.
기나긴 침묵이 깨졌지만 이런다고 달라지는 것은 없다.

거짓말

내 안위와 이익를 위해서 내뱉은 거짓말이 수없이 존재한다.
이 상활을 피하기 위해서 내뱉은 거짓말이 수없이 존재한다.
그것을 알기에 나는 스스로 자유롭지 못하는 사람일 뿐이다.
지나간 세월을 반성하며 내 어두운 이면에 존재하는 거짓된
수많은 진실이 선명하게 보인다. 나는 그저 침묵하고 있다.

내 안위와 이익을 위한 거짓말. 상황을 피하기 위한 거짓말.
나를 돋보이기 위한 거짓말. 나 자신마저 속이는 거짓말에
진실은 존재하지 않는다. 내 어두운 이면에 존재하는 것은
거짓으로 점철된 진실된 내 모습이니 그저 침묵할 뿐이다.
나도 양심이 있기에 차마 변명도 핑계도 하지 못할 뿐이다.

나는 거짓말쟁이다. 어두운 이면에 존재한는 진실된 모습은
온통 거짓으로 덮인 채로 존재한다. 왜 그렇게 살아왔을까?
나는 거짓말을 했다. 스스로를 속이며 그렇게 살아왔었다.
나는 자유롭지 못하는 죄인이다. 양심의 가책을 느낀다.
내 어두운 이면에 존재하는 거짓말이 부메랑으로 돌아온다.

내가 무슨 말을 할 수 있겠는가? 나는 부정할 수가 없어서
그저 침묵한다. 내 어두운 이면에 존재하는 수많은 거짓말.
나를 위한 거짓말이었다는 변명하지 않으리라. 그건 단지
내 안위와 이익을 위한 이기적인 거짓말에 불과한 것이다.
변명과 핑계는 필요하지 않다. 나는 반성하며 침묵한다.

죄인

어두운 이면을 목격한 그 순간부터 나는 죄인으로 몰락했다.
내 어두운 이면에 존재하는 진실을 목격한 후부터 그래왔다.
나는 죄인이다. 어두운 이면에 존재하는 추악한 내 본성이
여전히 살아 숨 쉰다. 내 어두운 이면에 존재하는 그것은
나를 죄인이 되게 한다. 나는 차마 어떤 말도 하지 못한다.

인간의 어두운 이면. 그것은 추악한 본성이니 나는 구속된
죄인일 뿐이다. 누구에게도 말하지 못하는 내 어두운 이면.
그것은 절대로 드러내지 못하는 영원한 비밀로 존재한다.
나는 죄인이다. 내 추악한 이면을 알기에 침묵을 지킨다.
거짓으로 점철된 지나간 세월을 반성하며 침묵은 길어진다.

내 악의는 이유가 없었다. 그래서 더욱 추악하고 비겁하다.
당신이라는 사람 자체가 미워서. 당신이 싫어서. 그것에는
특별한 이유가 존재하는 것은 아니다. 그 계기를 망각하고
가장 추악한 악의만이 남은 나는 당신을 한없이 증오했다.
나는 죄인이다. 내 추악한 본성을 미워하며 또 증오한다.

그 누구에게도 발설하지 못하는 내 어두운 이면은 비밀이다.
절대 입 밖으로 꺼내지 못하는 추악한 본성. 그것이 나에게
존재하는 어두운 이면이니 악의는 부메라이 되어 돌아온다.
나는 죄인이다. 그 누구보다 어두운 이면을 가진 죄인이다.
나는 내 추악한 본성을 목격한 죄인이 되어 그저 침묵한다.

인간의 본성

이기적이고 탐욕스러운 것이 인간의 본성이야. 나는 보았지.
자신의 탐욕을 채우기 위해서 타인을 악용하는 너의 추악함.
너무 쉽게 내뱉는 거짓말과 자신의 안위를 위해서 행동하는
이기적인 행동이 아무렇지도 않는 듯해. 태연한 너의 모습.
그것이 너라는 인간의 본성이겠지. 깊은 한숨에 커피 한잔.

뜨거운 커피를 천천히 마시며 인간의 본성에 대해서 생각해.
참으로 이기적이고 탐욕스러운 것이 인간의 본성. 그렇기에
나라고 무엇 하나 다르지 않다는 것을 절실히 깨달았거든.
너무 쉽게 내뱉는 거짓말. 상황을 회피하기 위한 거짓말.
그것이 지금의 나를 존재하게 만드는 과거의 기억이니까.

깊은 한숨을 쉬며 뜨거운 커피를 천천히 마셔. 인간의 본성.
인간은 기본적으로 선하다고 주장하는 네 의견이 동의 못해.
인간의 추악한 본성을 깨달은 후로 나는 줄곧 그래왔거든.
인간의 이기적이고 탐욕스러운 추억한 본성을 나는 봤지.
그 어두운 이면에 존재하는 것은 선한 것은 존재하지 않아.

그냥 그런 거야. 인간의 본성 자체가 그래. 어두운 이면에
존재하는 그 추악한 본성. 나라고 무엇 하나 다르지 않지.
어느 순간부터 염세적인 내 사고방식. 내 어두운 이면에
존재하는 본성을 알기에 뜨거운 커피를 마시면서 침묵해.
나라고 무엇 하나 다르지 않다는 것을 알기에 긴 침묵.

아무렇지도 않게

아무렇지도 않게 거짓말하는 너를 보고 더는 화도 나지 않아.
습관적인 거짓말과 모순적인 너의 행동에 무덤덤할 뿐이지.
나는 오래전부터 알고 있었어. 네 어두운 이면에 있는 그것.
그것에 속박되어 너는 절대로 자유롭지 못하는 사람이겠지.
아무렇지도 않게 거짓말하는 너의 모순된 행동에 무덤덤해.

그것이 네 어두운 이면에 존재하는 본성이라는 것을 알거든.
그래서 나는 침묵해. 너를 절대로 믿지 않는 이유는 너에게
존재하는 그 본성을 알기 때문이야. 너와 나의 거리는 절대
가까워질 수 없어. 네 어두운 이면에 존재하는 것을 알거든.
너는 그저 네 안위와 이익을 위해 습관적으로 거짓말하네.

습관적으로 하는 거짓말. 아무렇지도 않게 하는 그 거짓말.
자신의 이익을 위해서. 불리한 상황을 모면하기 위해서.
그게 아니라면 재미를 위해서. 습관적인 너의 거짓말에는
진실이 존재하지 않으니 신뢰할 수가 없지. 그냥 그렇지.
그런 너와의 거리는 충분히 멀어. 가까워질 수가 없지.

아무렇지도 않게 거짓말하는 너는 그냥 그런 사람인 거야.
자신의 안위와 이익을 위해서. 상황을 모면하기 위해서.
아무렇지도 않게 하는 거짓말. 그것을 알지만 침묵했지.
너의 거짓말을 믿지 않아. 어차피 우리의 관계는 절대로
아무것도 아니지. 아무렇지도 않게 너를 대하는 이유야.

죄책감

일말의 죄책감이라도 있다면 그렇게 행동하지 않았을 거야.
어떤 죄책감도 없기에 그것이 당연하다고 여기는 당신이야.
그것에는 아무런 죄의식이 없기에 아무렇지도 않게 행동해.
자신의 무능함을 대놓고 자랑하는 당신은 죄책감이 없기에
무책임하고 비겁하게 자신의 의무마저 버리고 도망친 거야.

죄책감이 없는 당신의 어두운 이면에 존재하는 것. 그것은
절대로 자신의 잘못을 인지하지 않으려는 그런 태도이니까.
절대로 책임지지 않으려는 당신은 그렇게 버리고 떠나갔지.
의무와 책임을 지기 싫어서 도망친 당신의 어두운 이면에
존재하는 무책임함이 싫어서 나는 의무와 책임과 직면해.

당신의 어두운 이면에 존재하는 것. 그것은 죄책감의 부재.
무책임하게 의무와 책임을 버리고 도망친 당신의 뒷모습은
오히려 당당하게 보여. 이미 오래동안 절연한 우리의 관계.
스스로 의무와 책임을 버리고 도망쳤으니 무의미한 거야.
어쩌면 사는 동안 절대로 만날 일이 없는 그런 관계니까.

당신이 버리고 도망친 것. 그것을 뒷수습하는 것은 타인의
몫이기에 당신을 원망해. 당신은 무책임하게 도망친 사람.
그에 대해 일말의 죄책감도 없는 당신의 어두운 이면에는
그 어떤 것도 책임지지 않고 이익을 취하려는 이기심이지.
그래. 그래서 영원히 당신을 만날 일이 없었으면 좋겠어.

이기심

누구나 의무와 책임이 있다. 그것을 이행하지 않는 무책임함.
자신에게 주어진 의무와 책임을 지기 싫어서 버리고 도망친
비겁한 당신의 이기심. 당신은 어디에도 정착하지 못하리라.
이기심만 남아 자기 자신만 아는 당신은 여전히 방황한다.
이기적인 당신은 오직 자기 자신만 생각하며 그렇게 떠났다.

자신의 잘못을 절대로 인정하지 않는 당신은 정말 추악하다.
비겁한 변명을 내뱉으며 그것을 합리화하는 당신의 모습에
실망하지 않는다. 이미 오래전에 체념한 당신에 대한 기대.
그것은 당신의 이기심 때문에 사라졌다. 이기적인 당신은
여전히 당신의 잘못을 인지하지 못하고 무책임할 뿐이다.

극한의 이기심. 오직 자시 자신만 아는 그런 이기심. 나는
당신의 어두운 이면에 존재하는 추악함을 알기에 절연했다.
나는 당신을 기억을 그렇게 잊는다. 나는 그것을 경계한다.
나는 스스로 의무와 책임을 회피하지 않기 위해 노력한다.
무책임하고 이기적인 당신을 닮지 않기 위해서 경계한다.

인간은 누구나 이기적이라고 하지만 당신은 가장 이기적인
사람일 뿐이다. 여전히 어디에 가도 정착하지 못하는 것은
당신의 이기심일 뿐이다. 타인에게 인정을 받지 못하면서
정처 없이 떠도는 당신의 처지는 온전히 당신의 잘못이다.
나는 당신처럼 살기 싫어서 이기심을 경계하며 살아간다.

비양심

당신은 비양심적이지. 어떤 것도 책임지지 않는 당신이니까.
참으로 비양심적이지. 어떤 것도 책임지지 않고 도망쳤으니.
당신은 비양심적이야. 누구도 당신의 편을 들어주진 않아.
일평생 허송세월을 보내던 당신의 삶을 누가 이해하겠어?
당신의 어두운 이면에 존재하는 무책임함을 나는 알거든.

아무것도 하지 않아. 아무런 노력도 하지 않아. 돈 따위가
뭐가 그렇게 중요하냐고 말하면서 일하지 않는 당신의 삶.
그러나 당신은 가장이지. 가장이 일하지 않으면 안 되지.
부양해야 하는 가족을 누가 책임질 건데? 그런데 당신은
스스로 의무와 책임을 버렸어. 무책임하게 도망친 당신.

일하지 않으면 누가 돈을 가져다주는데? 당신이 부양하는
가족은 당신을 부양해. 무책임하고 비양심적인 당신에게
그것이 너무나도 당연한가 봐. 당신을 먹여살리는 것은
당연한 것이 아니야. 비양심적인 당신의 언행에 실망해.
당신의 어두운 이면에 존재하는 무책임함은 비양심적.

당신은 양심이 없어. 오래전에 단절된 관계이지만 이젠
당신을 완전히 잊으려고 해. 어차피 단절된 관계이지만
당신과의 기억을 모두 지워야겠어. 당신의 어두운 이면.
그것에 존재하는 것은 비양심적이고 무책임한 거니까.
당신은 자신의 이면을 절대로 인정하기 않고 살아가네.

침묵

나는 침묵한다. 타인의 어두운 이면을 깨닫고 나는 침묵한다.
나는 침묵한다. 타인의 어두운 이면을 깨닫고 그저 침묵한다.
누군가는 타인의 어두운 이면을 보고 추악하다고 말하겠지만
나는 차마 어떤 말도 하지 못한다. 나라고 다르지 않는 이면.
내 어두운 이면에 존재하는 것은 타인과 다르지 않는 추악함.

누구나 자신의 어두운 이면을 숨기고 살아간다. 단지 그렇게
살아가는 것이다. 차마 드러내지 못하는 자신의 어두운 이면.
그것은 절대적이고 상대적인 비밀이 되어 존재하는 것이기에
나는 당신의 어두운 이면을 보았지만 침묵한다. 인간이라면
누구나 존재하는 어두운 이면이 있다는 것을 알기에 그렇다.

나는 침묵한다. 내 어두운 이면을 들여다보며 그저 침묵한다.
나는 침묵한다. 내 어두운 이면을 바라보면서 그저 침묵한다.
당신의 어두운 이면을 목격했지만 나는 그저 침묵할 뿐이다.
나라고 무엇이 다르겠는가? 나도 어두운 이면이 존재한다.
누구나 자신의 어두운 이면을 드러내지 않고 살아가겠지.

누군가는 타인의 어두운 이면을 보고 추악하다고 말하겠지만
그것은 잘못된 것이다. 당신이라고 어두운 이면이 없겠는가.
나는 보았다. 타인의 어두운 이면을 지적하는 당신의 이면.
타인보다 더욱 추악하기 그지없는 그 어두운 이면을 보았다.
나는 침묵한다. 나라고 다르지 않다는 것을 알기에 침묵한다.

어두운 이면

인간의 어두운 이면을 알기에 나는 불신하며 살아갈 뿐이다.
사람의 어두운 이면을 알기에 나는 타인을 신뢰하지 못한다.
그러나 알고 있다. 나라고 타인과 다르지 않다는 그 사실을.
내게도 존재하는 어두운 이면은 마치 비밀처럼 존재하는 것.
그렇기에 나는 나를 함부로 확신하지 않는다. 단지 그렇다.

인간은 누구나 어두운 이면을 감추고 살아간다. 자신에게는
어두운 이면이기에 타인에게 드러내지 못하는 것. 비밀처럼
존재하는 어두운 이면을 알기에 나는 인간을 믿지 않는다.
그것은 함부로 드러낼 수 없는 것이다. 그렇기에 불신한다.
자신을 온전히 드러내지 못하니 나는 사람을 믿지 않는다.

그러나 나라고 무엇 하나 다르지 않다. 인간의 어두운 이면.
그것은 내게도 존재하는 것이니 침묵으로 이를 숨기고 있다.
나는 타인을 믿지 않는다. 드러나지 않는 어두운 이면에는
무엇이 있는지 알 수 없기에 나는 불신한다. 그러나 안다.
나라고 무엇 하나 다르지 않다는 사실을 알기에 침묵한다.

내 어두운 이면에 존재하는 인간에 대한 불신. 나는 믿는다.
누구나 자신의 어두운 이면을 숨긴다는 사실을 나는 믿는다.
그렇기에 나는 불신한다. 자신을 온전히 드러내지 못하기에
끝내 완전히 신뢰하지 못하는 것이 인간이라는 사실을 안다.
그래서 나는 침묵한다. 나라고 타인과 무엇이 다르겠는가?

포장

자신을 적절히 포장하는 것. 자신의 능력과 실력을 포장한다. 자신이 마치 유능한 사람인 것처럼 적절히 포장하며 어느새 그것이 정말 진심으로 자신의 것인 것처럼 믿는 어리석음. 나는 보았다. 스스로 포장한 내면을 끝내 외면하는 당신을. 적절히 포장한 당신의 이력서. 그것은 거짓된 포장이었다.

이력서를 꽉 채우며 자신이 마치 유능한 것처럼 포장하다고 진심으로 믿는 당신을 보았다. 보기 좋게 포장된 내용물은 사실은 보잘 것 없다는 것을 나는 알고 있다. 그러나 끝내 나는 침묵한다. 나 또한 나를 적절히 포장하면서 살아간다. 그렇기에 나는 아무 말도 하지 못한다. 나도 다르지 않다.

당신이 가지고 있는 능력. 실상은 그 정도는 아니라는 것을 스스로 잊어버리는 당신은 포장된 능력이 진심이라고 믿고 살아간다. 적절히 포장한 당신의 능력은 그럴 듯해 보인다. 그러나 그것은 거짓된 포장일 뿐이다. 나는 그저 침묵한다. 나라고 무엇 하나 다르지 않다는 것을 알기에 침묵한다.

당신의 어두운 이면. 포장된 것이 진짜라고 믿는 당신에게 내가 무슨 말을 할 수 있겠는가? 나는 그저 침묵할 뿐이다. 나도 당신과 다르지 않다는 것을 알기에 나는 침묵을 한다. 적절히 포장된 것을 진실이라고 믿는 당신의 그 오만함은 스스로 자각하지 못한다. 그러나 나도 크게 다르지 않다.

침묵

도무지 하고 싶은 말이 없어 침묵한다. 답답한 듯한 당신은 어떻게 생각하냐고 묻지만 나는 굳이 대답할 의무가 없기에 그저 침묵할 뿐이다. 당신이 저지른 잘못은 당신의 몫이다. 당신은 언제나 그렇듯이 타인에게 해답을 찾으려고 하지만 그것은 나와는 철저히 무관하기에 그저 침묵으로 일관한다.

스스로 잘못에 대한 해명을 하며 변명을 늘어놓는 당신에게 내가 무슨 말을 할 수가 있겠는가? 그것은 당신만의 몫이다. 당신이 저지른 잘못은 당신이 알아서 수습할 문제일 뿐이다. 언제나 그랬던 것처럼 타인에게 해답을 찾으려는 그 태도가 거슬리지만 내가 상관할 일은 아니기에 그저 침묵할 뿐이다.

내게 묻지 말았으면 좋겠다. 그것은 내가 관여할 것이 아닌 당신 스스로가 감당해야 하는 몫이다. 당신의 어두운 이면. 그것에 존재하는 비겁한 변명과 핑계는 당신의 진심이다. 그러나 내가 알고 싶은 것은 없다. 당신의 사정은 온전히 당신의 개인적인 사정일 뿐이다. 그것은 나와 무관하다.

내 어두운 이면에 존재하는 무관심은 당신에게도 해당된다. 당신이 어떤 잘못을 저질렀다고 해도 그것에는 무관심하다. 당신은 사정을 설명하며 도와달라고 말하지만 나는 이렇게 침묵하며 고개를 젓는다. 그것은 온전히 당신의 몫이기에 나는 무관심할 뿐이다. 그것은 내가 아닌 당신의 숙제다.

무관심

나는 당신에게 무관심하기에 그 어떤 것도 묻고 싶지가 않다.
당신은 내게 원하는 것이 있냐고 묻지만 나는 고개를 젓는다.
나는 당신에게 어떤 것도 바라지 않는다. 당신에게 무관심한
나는 이 대화의 끝을 바란다. 당신이 뭐라고 해도 상관없다.
당신은 친밀함을 유도하려고 하지만 나는 그저 무관심하다.

당신이 무슨 말을 하더라도 나는 무관심하다. 어차피 덧없다.
당신은 자신의 속내를 드러내며 친구가 되기를 원하고 있다.
그러나 나는 그런 것에는 무관심하다. 나는 관계에 진전을
원하지 않는다. 나는 그런 것에 무관심한 사람일 뿐이라서
관계의 진전을 원하지 않는다. 우리의 관계는 여기까지다.

내 어두운 이면에 존재하는 타인에 대한 무관심은 유효하다.
당신의 어두운 이면에 존재하는 욕심에도 나는 무관심하다.
당신은 자신의 편을 확보하려고 하지만 나는 무관심하다.
이곳에서 살아남기 위해서 자신의 편을 만들려고 하지만
나는 그런 것에 아무런 관심이 없다. 나는 단지 고독하다.

내게는 친숙한 고독만이 나를 반긴다. 내 어두운 이면에는
고독만이 존재하기에 타인에게 무관심하다. 당신은 원한다.
이곳에서 살아남기 위해서 자신의 편을 만들기 위한 욕망.
그러나 그것은 나와는 무관한 것이기에 무관심할 뿐이다.
그런 것은 덧없고 부질없다. 나는 그것에 무관심할 뿐이다.

거짓말쟁이

습관적인 거짓말. 아무렇지도 않게 거짓말하는 너를 보았다.
너는 거짓말쟁이다. 숨 쉬는 것 빼고 모든 것이 거짓말이다.
약속을 지키지 않는 너는 온갖 변명과 핑계로 둘러대지만
그것에는 진실이 존재하지 않는다. 환멸감에 너를 끊었다.
절대로 지키지 않는 약속과 습관적인 거짓말이 참 역겹다.

절대로 지키지 않는 약속과 존재하지 않는 시간 개념. 그래.
거짓말쟁이에게는 그런 것은 중요하지 않는 건지도 모른다.
우리의 관계는 갈등의 국면으로 접어들고 갈등은 이어진다.
그것이 우리의 관계가 단절된 결정적인 계기가 된 것이다.
너는 거짓말이다. 숨 쉬는 모든 순간이 그저 거짓말이다.

나는 너를 절대로 믿지 않는다. 거짓말쟁이의 변명과 핑계.
그것에 환멸감을 느껴 갈등은 심화되고 관계는 단절되었다.
너의 모든 말은 거짓이 잠재되어 있다. 너는 거짓말쟁이다.
나는 너를 절대로 믿지 않는다. 너는 그저 거짓말쟁이라서
절대로 믿을 만한 인간이 아니다. 그렇게 우리는 절연했다.

절대로 지키지 않는 약속. 습관적인 거짓말. 거짓말쟁이는
아무런 죄책감을 느끼지 않는다. 그런 너와 절연한 것은
당연한 결말이다. 거짓말쟁이에게 우정 따위 무의미하다.
숨 쉬는 것 빼고 모든 것이 거짓말쟁이와 인연은 덧없다.
나는 너를 잊는다. 나는 거짓말쟁이를 신뢰하지 않는다.

무표정

무표정한 얼굴로 당신의 말을 듣는다. 당신은 말을 이어간다.
무표정한 얼굴에 아무런 감정이 없다. 당신의 말은 부질없다.
당신은 마치 대단한 것을 말하는 것 같지만 그것은 거짓이다.
자신의 무능함을 포장하는 당신의 말은 아무런 의미가 없다.
나는 침묵한다. 당신의 이면에 존재하는 것을 직접 보았다.

당신은 내게 가르쳐 준다는 식으로 말하지만 그것은 부질없다.
그것은 누구나 조금만 노력하면 금세 깨닫는 것이라서 덧없다.
나는 침묵한다. 무표정한 얼굴로 당신의 말을 듣고 침묵한다.
길어지는 일방적 대화에 지루하고 무료하다. 시간이 멈춘다.
그래서 결론이 뭐냐는 내 말에 당신은 처음으로 침묵한다.

당신의 조언 아닌 조언. 나는 지루하고 무료해서 무표정하다.
당신은 마치 대단한 것을 가르쳐 주는 것처럼 말하지만 그건
누구나 다 아는 사실이다. 나는 침묵을 깨고 대화를 끊는다.
당신의 어두운 이면에 존재하는 것은 오만함과 자만심이다.
그래서 당신의 곁에는 아무도 없다. 당신은 홀로 남겨졌다.

나는 무표정한 얼굴로 결론이 뭐냐고 묻는다. 이내 침묵하며
당황하는 당신의 표정에 나는 깊은 한숨을 쉰다. 가르치려는
당신의 태도에 실망감을 감추지 못하겠다. 드러나는 표정에
당신의 당혹스러운 듯하다. 나는 자리를 박차고 떠나간다.
당신의 이면에 존재하는 것은 오만한 자만심일 뿐이었다.

거짓말

습관적인 거짓말. 아무렇지도 않게 하는 거짓말. 금방 들통나.
습관적인 거짓말. 도무지 믿을 수 없는 당신의 말은 거짓이지.
오랜 세월 동안 누적된 불신은 당신과의 관계를 멀어지게 해.
절대로 믿을 수 없는 당신의 어두운 이면은 거짓으로 점철돼.
그 거짓말에 하나둘씩 정리되는 관계에 혼자 남겨지는 거야.

금세 들통날 거짓말. 도무지 믿을 수 없는 당신의 거짓말에는
진실이 존재하지 않아. 조금만 생각해봐도 모순된 거짓말에는
아무런 진실이 존재하지 않아. 절대 믿을 수가 없는 당신이야.
당신의 어두운 이면에 존재하는 것. 그것을 알기에 침묵했어.
어떤 것도 책임지기 싫어서 비겁한 거짓말로 일관하는 당신.

아무런 죄의식이 없는 듯해. 거짓으로 점철된 당신의 그 모습.
무책임하게 도망친 것은 바로 당신. 거짓말로 변명하는 당신.
그 모순된 말에 숨겨진 의도는 당신의 어두운 이면이라는 것.
세상에 믿을 놈 하나 없다는 말. 그 말은 당신도 마찬가지야.
습관적인 거짓말. 절대로 믿을 수 없는 당신의 어두운 이면.

습관적인 거짓말. 당신은 아무렇지도 않게 거짓말해. 그렇게
앞뒤가 맞지 않는 모순된 거짓말. 절대로 신뢰할 수 없잖아.
무책임하고 도망치고 비겁하게 거짓말로 변명하는 당신에게
신뢰는 존재하지 않아. 당신은 절대로 믿을 수 없는 인간.
당신의 어두운 이면이 훤히 보이는 거짓말은 불신의 이유.

변명

자신의 안위를 지키기 위한 변명. 인간의 본능인지도 모르지.
자신의 이익을 위해 내뱉는 변명. 어두운 이면에 존재하잖아.
생각해보면 앞뒤가 맞지 않아. 거짓말로 일관되게 변명하는
당신에게 과연 진실이 존재하기는 할까? 그건 아무도 몰라.
그러나 당신은 비겁하게도 거짓말로 변명하도 도망치잖아.

세상에 믿을 사람 아무도 없다는 말. 당신은 그런 말할 자격
절대로 없다는 사실을 스스로 인정하지 못해. 자신은 언제나
진실을 말했노라고 주장하는 당신의 거짓말이 당신을 대변해.
지금껏 살아오면서 단 한 번도 하지 않았다는 거짓말을 하는
당신은 어느새 변명하며 도망치려고 해. 거짓말로 변명하네.

습관적인 거짓말. 거짓말이 들통나도 거짓말로 변명해. 그래.
당신의 어두운 이면에 존재하는 것이 그런 것이라면 무시해.
당신이라는 사람은 어쩔 수 없는 사람인가 봐. 믿을 수 없지.
변명이 인간의 본성인지도 모르겠어. 하지만 그렇게 거짓된
변명을 늘어놓는 사람은 당신뿐인지도 모르지. 나는 침묵해.

앞뒤과 맞지 않는 거짓말. 모순된 언행에 쓴웃음을 짓고 말아.
자신에게 불리한 것을 거부하며 거짓말로 변명하는 당신에게
신뢰는 존재하지 않아. 나는 이미 오래전에 당신을 절연했지.
절대로 믿을 수 없는 사람. 당신의 어두운 이면에 존재하는
거짓되고 모순된 모습은 절대로 믿을 수 없는 것에 속하니.

이기적인

나는 나의 안위를 가장 중요하게 여기는 이기적인 사람이다. 나는 나의 이익을 가장 중요하게 여기는 이기적인 사람이다. 이기심은 나쁜 거라고 교과서에서 배웠지만 사실은 아니다. 누구나 이기적인 마음으로 살아가니 그것은 과연 어떠한가? 나는 당신에게 묻는다. 이기심은 과연 무조건 악인 것일까?

나는 내 안위와 이익을 위해서 행동한다. 나는 이기적이라서 내 안위와 이익이 최우선이다. 그것은 당신도 나와 동일하다. 이타적인 삶을 살아가는 것이 중요하다고 말하는 당신에게는 그런 마음이 존재하지 않는가? 끝내 침묵하는 당신의 입술은 어째서 떨어지지 않는가? 이기적인 것은 어쩌면 본능과 같다.

나는 이기적인 사람이다. 내 안위를 지키고 이익을 위해서는 기꺼이 이기적으로 행동하는 그런 사람이다. 타인을 위해서 봉사하는 삶을 살아가는 것이 가장 좋은 삶이라고 말하면서 좀 더 많은 이득을 취하려는 위선자의 모습을 보이는 당신. 당신은 나와 뭐가 다를가? 당신이라고 과연 무엇이 다를까?

나는 내 안위와 이익을 위해 행동한다. 동시에 내가 사랑한 주변 사람들의 안위와 이익을 위해서 생각하고 행동을 한다. 당신은 이타적인 삶을 추구한다고 말하지만 끝내 이기적인 마음을 감추지 못한다. 당신과 나는 과연 무엇이 다른가? 위선자의 이기심과 나의 이기심이 과연 무엇이 다른 걸까?

위선자

이타적인 삶을 살겠노라고 말하는 당신에게 거리감을 느낀다.
이타적인 모습을 보이려고 노력하는 당신에게 거부감이 든다.
길거리에 버려진 쓰레기를 주우며 매주 봉사활동을 하면서도
당신에게 거부감을 느끼는 이유. 당신의 이면에 존재하는 것.
그것은 위선자의 본질이니 나는 당신을 가까이 하지 못한다.

당신은 위선자다. 겉으로는 선한 표정과 행동을 하지만 끝내
자신의 이기심을 채우려고만 하는 당신은 위선자에 불과하다.
어려운 형편의 사람을 도울 때면 희열감을 느끼는 그 표정을
목격한 이후로 나는 당신에게 회의감을 느낀다. 나는 보았다.
자신보다 가난한 사람에게 우월감을 느끼는 위선자의 표정을.

나는 침묵한다. 내 어두운 이면에 존재하는 이기적인 마음을
스스로 알기에 침묵한다. 당신은 타인을 위해서 봉사를 하며
주변에 칭찬이 자자하다. 그래서 나는 애써 침묵할 뿐이다.
그러나 나는 보았다. 가난하고 도움이 필요한 사람을 도와서
도덕적 우월감을 느끼며 희열하는 위선자의 어두운 이면을.

경제적으로 여러운 사람. 어려운 형편에 도움이 필요한 사람.
그런 사람을 도우며 도덕적 우월감을 느끼는 그 어두운 이면.
자신보다 못한 사람이 이렇게나 많다며 희열하는 위선자에게
나는 회의감을 느낀다. 나는 위선자의 어두운 이면을 보았다.
나는 당신의 어두운 이면을 보고 깊은 회의감을 느끼고 있다.

우월감

너는 내게 우월감을 느끼는 건가 봐. 네 말투와 행동이 그래.
너는 내게 우월감을 숨기지 못하네. 네 말과 행동. 거슬리네.
그러나 우월감은 손쉽게 깨지고 말았지. 대놓고 깨지는 너는
붉어진 얼굴로 차마 어떤 말도 하지 못해. 너의 부족함이지.
네가 깨지는 이유는 네 능력의 부재와 부주의로 인한 거야.

너는 내게 우월감을 느끼더라고 그건 어디까지나 네 착각이지.
여러 사람이 보는 앞에서 상사에게 깨지는 네 모습을 발견해.
잠시 담배를 피우는 시간. 너는 내게 버럭 화를 내며 말하지.
자신 같은 인재를 알아보지 못하는 회사가 밉다고 말하면서
나를 은근히 깔보는 네 얼굴을 보고 피식 웃고 자리를 떠나.

너는 네가 나보다 모든 면에서 우월하다고 생각하는 것 같아.
술에 취해 자신이 얼마나 대단한지 말하는 너의 우월감 속에
존재하는 것은 열등감. 네 어두운 이면에 존재하는 열등감은
너와 나의 근본적 차이. 너는 내게 우월감을 느낀다고 해도
타인이 보기에는 너는 그저 능력이 부족한 사람일 뿐이거든.

네 안에 존재하는 우월감은 사실 열등감이지. 어두운 이면에
존재하는 너의 무익한 열등감은 우월감으로 극복하려 하지만
그것은 부질없어. 그런다고 달라지는 것은 아무것도 없잖아.
너의 무익한 열등감. 그것을 해소하기 위해 내게 우월감을
느끼려는 너의 열등감. 그것은 네 어두운 이면에 존재하지.

열등감

네 어두운 이면에 존재하는 열등감. 지나친 열등감에 시달려.
너는 타인에게 열등감을 느끼며 스스로 자책하지만 무의미해.
타인과 비교하며 열등감을 느끼는 너는 무기력함에 젖어드네.
아무런 노력도 하지 않는 너는 그렇게 제자리걸음일 뿐이지.
너의 무익한 열등감은 고스란히 남아 자신을 해치고 있어.

자신의 능력을 인정하지 않으려는 너는 열등감으로 가득해서
타인을 험담하고 다니지. 그럴 시간에 네 능력을 한층 키워.
그러나 아무런 노력도 하지 않고 험담하고 정치질하는 너의
그 무익한 열등감은 근본적으로 해소되지 않는 것을 알아.
너의 열등감의 원인. 그것은 어디까지나 네게 있는 거야.

어려서부터 그랬지. 스스로 열등감을 느끼며 험담하는 언행.
그것이 돌고 돌아서 스스로에게 돌아온다는 것을 잘 알면서
절대로 인정하지 않으려는 너의 열등감. 네 어두운 이면에
존재하는 그것은 절대로 변하지 않을 것 같아. 널 멀리 해.
너의 무익한 열등감이 내게 해가 되기 전에 너를 멀리 해.

타인에게 열등감을 느끼는 너. 스스로 어떤 노력도 안 하는
너는 타인을 험담하고 다니지. 그럴 시간에 차라리 공부해.
아무런 노력 없이 원하는 것을 얻을 수 없어. 너의 이면에
존재하는 열등감. 그것은 스스로 발전하지 않는 너의 문제.
그 열등감이 너를 해치는 칼날이 된다는 것을 너는 모르지.

어두운 밤하늘

지독히도 어두운 밤하늘. 침대에 누워 가만히 바라보는 것.
오래된 고독은 내 어두운 이면에 뿌리 깊은 나무와도 같다.
쉬이 잠이 오지 않는 오늘 밤. 어두운 밤하늘은 고독하다.
오래된 고독은 뿌리 깊은 나무처럼 굳세고 단단한 것이다.
차가운 물을 마시며 애써 쓰린 속을 달래고 그저 침묵한다.

내 어두운 이면에 존재하는 뿌리 깊은 고독은 오래된 감정.
어느 순간부터 뿌리를 내린 고독은 절대 흔들리지 않는다.
이미 단단한 나무와고 같은 고독은 삶의 전반에 존재한다.
내 어두운 이면에 존재하는 고독은 절대 사라지지 않겠지.
고독으로 말미암아 살아왔고 살아가는 내 삶은 고독이다.

오랫동안 혼자였던 나는 고독하다. 내 어두운 이면에 있는
고독은 사람에 대한 불신이자 존재하지 않는 애정. 그래서
나는 누구도 곁에 두지 않는다. 어두운 밤하늘에 그 어떤
빛도 존재하지 않는 것처럼 나는 너와 함께 하지 않는다.
고독으로 점철된 삶은 인간에 대한 회의감을 느끼게 한다.

어두운 밤하늘을 닮은 고독은 내 어두운 이면에 존재한다.
사람을 믿지 않고 어떤 애정도 없는 나는 어두운 밤하늘.
나의 고독은 그런 것이다. 고독은 어두운 밤하늘과 닮아
오랜 세월 동안 존재하리라. 내 어두운 이면에 존재하는
고독으로 살아왔고 살아가는 나는 그런 존재에 불과하다.

혼자

내게는 당연하고 익숙한 혼자라는 단어. 그것은 내게 친숙해.
오랫동안 혼자였기에 누군가와 함께하는 것이 어색한 나에게
동정 어린 시선은 필요 없어. 너는 안타까운 시선으로 나를
바라보지만 그런 것은 내게는 무의미하다는 것을 알았으면.
나는 혼자야. 오랜 세월 동안 혼자였던 내게 고독은 당연해.

미안하지만 동정 어린 시선이 매우 불편해. 네 시선 자체가
내게는 몹시 불편하다는 것을 알았으면 좋겠어. 인생이라는
기나긴 여정을 혼자서 살아왔고 살아가는 내게는 당연하니.
어려서부터 줄곧 혼자였던 내게 외로움은 당연한 감정이야.
그러니 그 시선은 내가 아닌 너를 위해서 존재했으면 해.

나는 오직 혼자만의 삶을 살아가. 내 이면에 존재하는 감정.
외로움은 내게 당연하고 익숙한 감정. 내 어두운 이면에는
원래부터 존재했던 감정이야. 이런 내게 동정 어린 시선은
덧없고 부질없어. 그것은 내게 오히려 독이 되는 것이지.
나는 원래 혼자야. 혼자라는 것 자체는 문제가 되지 않아.

내 삶은 나 혼자만의 것. 인간에게 주어지는 외로움마저도
스스로 감당하고 살아가야만 해. 그것은 당연한 감정이야.
원래부터 혼자였던 내게 외로움은 어두운 이면에 속하지.
하지만 그것 때문에 내 삶이 불행한 것은 절대로 아니야.
인간은 원래 혼자야. 인간은 누구나 외로움을 느끼잖아.

이런다고

이런다고 해서 무엇 하나 달라지는 것은 없다는 것을 알기에
나는 외로움을 있는 그대로 받아들이고 홀로 살아가고 있어.
내 어두운 이면에 존재하는 외로움이라는 감정은 나무처럼
뿌리를 내렸지. 외로움에 벗어나려고 해도 달라지는 것은
아무것도 없다는 것을 알기에 나는 있는 그대로 받아들여어.

내 어두운 이면에 존재하는 외로움은 고독의 꽃을 피워냈지.
아무리 사람을 만나도 고독은 절대로 사라지지 않을 테지.
인간은 근본적으로 외롭다는 말. 그것을 인정한 후 나는
고독으로 말미암아 살아가네. 사람을 만나도 달라지는 건
아무것도 없다는 사실을 알기에 있는 그대로 받아들였어.

하루의 많은 시간을 혼자 보내. 일과의 대부분을 혼자서만.
먹고살기 위해서 일하는 시간. 일을 마치치고 하루의 끝에
외로움이 나를 반기네. 사람을 만나도 달라지는 것은 없어.
이런다고 해서 달라지는 것은 없기에 나는 그저 침묵했지.
혼자서 하루를 살아가는 것이 익숙해서 아무렇지도 않아.

외롭다는 말. 그 말을 굳이 꺼낼 필요는 없어. 그런 거야.
혼자라는 것. 인간은 원래 혼자라는 사실을 깨달은 후로
나는 줄곧 혼자서 지냈지. 사람을 만나도 달라지지 않아.
이런다고 해서 달라지는 것은 아무것도 없는 것을 알아.
이제는 익숙한 외로움에 담담히 일상을 살아가는 거야.

아무렇지도 않게

이른 아침에 나를 깨우는 고독은 내 어두운 이면에 존재한다.
늦은 저녁에 나와 시간을 보내는 고독은 내 어두운 이면이다.
오랜 세월 동안 혼자였기에 고독은 아무렇지도 않게 다가와
언제나 나와 함께한다. 무표정한 얼굴로 담담히 고독하다.
나는 아무렇지도 않게 고독한 일상을 살아가고 있을 뿐이다.

어려서부터 함께했던 고독을 원망하지 않는다. 내게 익숙한
고독은 단지 그런 것이다. 내 어두운 이면에 존재하는 고독.
그것을 탓하지 않을 것이다. 그래야 하는 이유는 없다는 것.
그것을 깨달은 후로 나는 아무렇지도 않게 고독을 느낀다.
내 어두운 이면에 존재하는 고독은 단지 그렇게 존재한다.

내가 누구 탓을 하겠는가? 삶은 의지대로 흘러가지 않는다.
내 어두운 이면에 존재하는 고독은 단지 그렇게 존재한다.
이것은 온전히 나의 몫이라는 것을 알기에 나는 침묵한다.
아무렇지도 않게 고독을 받아들이며 살아가는 내 일상은
단지 고독할 뿐이다. 나는 아무렇지도 않게 고독하다.

내 어두운 이면에 존재하는 고독. 아무렇지도 않게 있는다.
고독은 내 의지로 어떻게 할 수 있는 것은 아니다. 그래서
나는 고독을 있는 그대로 받아들였다. 익숙한 고독이라서
나는 담담하다. 무표정한 얼굴로 나는 고독과 마주했다.
나는 아무렇지도 않게 고독과 함께 삶을 살아가고 있다.

무관심

타인에 대한 관심. 그것이 무의미하다고 느껴지는 순간부터
나는 혼자가 됐어. 어느 순간부터 나는 철저히 혼자가 되어
고독하게 살아가네. 하지만 그 어떤 불만도 존재하지 않아.
내 어두운 이면에 존재하는 것. 그것 타인에 대한 무관심.
타인이 무엇을 어떻게 하던지 나는 상관하고 싶지 않거든.

나는 지극히 이기적인 사람이야. 타인과의 관계보다 이렇게
혼자만의 고독을 즐기는 것이 좋아. 당신에게 무관심하거든.
타인의 말과 행동이 어느 순간부터 무의미해졌어. 무관심해.
나는 이기적인 사람이야. 나 혼자만의 시간이 훨씬 중요해.
타인과 공유하는 시간. 차라리 그 시간에 혼자 있고 싶어.

만사가 귀찮네. 무의미하고 형식적인 대화가 길어지고 있어.
나는 무표정한 얼굴로 무덤덤하게 말해. 사실은 무의미하지.
어차피 형식적인 관계. 어차피 형식적인 대회. 무관심해서
방금 전 주제로 생각나지 않아. 나는 무관심으로 일관해.
내 어두운 이면에 존재하는 무관심은 타인을 향해 존재해.

나는 타인에게 무관심해. 나와 관련 있는 사람이 아니라면.
나는 타인에게 무관심해. 나와 연관이 없는 사람이면 더욱.
혼자 있는 시간이 소중한 내게 타인은 무관심할 뿐이니까.
어두운 이면 존재하는 타인에 대한 무관심. 고독을 즐겨.
때로는 외로움에 젖어도 타인에 대해 무관심으로 일관해.

타고난 성향

나는 내 어두운 이면에 존재하는 그것을 보고 침묵을 지킨다. 어두운 이면에 존재하는 것은 타고난 성향이다. 그것은 내가 어떻게 할 수 있는 것은 아니다. 그것은 단지 타고난 것이다. 나는 내가 어찌하지 못하는 기질을 있는 그대로 받아들였다. 타고난 성향은 타고났기에 어쩌지 못하는 것임을 알고 있다.

타인을 위한 이타심보다 나를 위한 이기심이 우선인 내 성향. 타인을 향한 의심과 불신. 타인을 절대 쉽게 믿지 않는 경향. 이것은 타고난 기질이다. 내 어두운 이면에 존재하는 기질은 선천적으로 타고난 것이다. 나는 이를 있는 그대로 바라본다. 내가 어쩌지 못하는 타고난 기질은 원래 이런 것에 속한다.

나는 의심한다. 당신이 진실을 말한다고 해도 그것의 진의를 완전히 파악하기 전에는 절대로 믿지 않는다. 어두운 이면에 존재하는 타인을 향한 불신은 타고난 성향이다. 나는 알았다. 타고난 성향은 천성이기에 바꿀 수 없다. 나는 나는 알았다. 이 성향은 내가 사는 동안 절대 쉽게 변하지 않으리라는 것.

타인을 의심하고 믿지 않는 것. 내 어두운 이면에 있는 불신. 그것은 모두에게 해당되는 것이다. 타고난 성향은 천성이다. 그것은 내가 가지고 태어난 것이다. 내 어두운 이면에 있는 타인을 향한 의심과 불신은 내가 사는 동안 존재할 것이다. 나는 나를 있는 그대로 받아들인다. 그것은 어쩔 수 없다.

무관심

노인은 공허한 눈빛으로 저 어두운 밤하늘을 응시하고 있다.
모두가 무관심한 노인은 저 어두운 밤하늘을 바라보고 있다.
서로가 서로에게 철저히 무관심한 우리는 아무것도 아니다.
노인은 담배에 불을 붙이며 이 긴 밤을 홀로 보내고 있다.
그러나 그에게 필요한 것은 관심이 아닌 무관심일 뿐이다.

초라한 노인은 담배를 피우며 공허한 시선으로 어두운 밤을
홀로 보내고 있다. 이윽고 누군가 다가와 빵과 우유를 건네
위로의 말을 건넨다. 노인은 인상을 찌푸리며 화를 참는다.
당황하는 그는 금세 자리를 떠나고 노인은 욕설을 내뱉는다.
노인이 바라는 것은 동정심 따위가 아니라 무관심이었다.

노인은 빵과 우유를 쓰레기통에 버린다. 누군가의 동정심은
노인에게 불필요한 것이다. 그것은 원하거나 바라지 않았다.
노인은 공허한 시선으로 어두운 밤하늘을 바라본다. 그에게
필요한 것은 당신의 위선을 위한 동정심이 아니다. 노인은
단지 무표정한 얼굴로 무덤덤하게 저 어두운 밤하늘 본다.

뉴스와 신문에서는 서로에게 지나치게 무관심한 세상이라고
언급한다. 서로에 대한 무관심이 사회의 어두운 이면이라고
말하지만 어쩌면 우리에게 필요한 것은 적당한 무관심이다.
저 노인을 보라. 노인은 공허한 시선으로 밤하늘을 보지만
그에게 필요한 것은 동정심이 아닌 무관심인지도 모른다.

무관심

서로에게 지나치게 무관심한 것이 아니냐고 말하지만 아니야.
나에게 필요한 것은 타인의 관심이 아니야. 원하지도 않았어.
너에게 필요한 것은 내 관심이 아니야. 너도 원하지 않잖아.
서로에게 필요한 것은 적당한 무관심. 서로에게 관심이라는
감정은 필요하지 않아. 오히려 독이 되기 마련인 감정이야.

내게 필요한 것은 타인의 관심이 아니야. 나는 원한 적 없어.
내게 필요한 것은 당신의 관심이 아니야. 나는 바란 적 없어.
내가 무엇을 어떻게 하더라도 관심 갖지 않았으면 좋겠지만
당신은 서로에게 지나치게 무관심한 것이 아니냐고 말하네.
그러나 지나친 관심은 독이 되기 마련이라는 것을 알아.

어차피 서로가 관심을 요구하는 관계가 아니지. 형식적 관계.
친구라고 말하지만 동시에 진정한 친구는 아닌 우리의 관계.
솔직히 말해서 네가 무엇을 하더라도 그다지 관심은 없어.
내가 무엇을 하더라도 그것은 당신과는 무관한 것이라서
당신의 관심은 무의미해. 그것은 내게 불필요한 것이거든.

내 이면에 존재하는 무관심. 지나친 관심은 독이 되기 마련.
우리 사회의 어두운 이면에 존재하는 무관심은 옳지 않다고
언론에서는 말하지. 하지만 적절한 무관심함이 더욱 필요해.
지나친 관심은 오히려 독이 되기 마련이니 적당히 무관심.
내가 필요로 하는 것은 당신의 관심이 아닌 무관심이야.

무표정

길거리에 아무렇게나 앉은 노숙자는 소주를 마시며 취해간다.
몇몇 사람이 흘깃거리지만 이내 관심을 끄고 길을 지나간다.
이윽고 술에 취한 노숙자는 신문지에 드러누워 잠을 청한다.
노숙자는 타인의 시선에 아랑곳하지 않고 그렇게 잠들었다.
그러나 노숙자는 이윽고 쫓겨난다. 그렇게 그는 떠나갔다.

나는 무표정한 얼굴로 노숙자가 쫓겨나는 모습을 바라보았다.
술에 취해 비틀거리며 걷는 그는 과연 어디로 향하는 걸까?
그러나 나는 무표정한 얼굴로 이내 관심을 끄고 한숨 쉰다.
따듯한 커피를 천천히 마시며 무표정하게 주변을 둘러본다.
또 다른 노숙자가 거리를 어슬렁거리지만 나는 무표정하다.

누군가는 불편한 표정을 짓지만 나는 그저 무표정할 뿐이다.
그가 내게 피해를 주지 않는다면 아무런 관심이 없는 거다.
무표정한 얼굴로 따듯한 커피를 마시며 시간을 보내는 낮.
그저 무표정한 얼굴로 나는 그에게 무관심으로 일관한다.
타인의 모습이 어떻든 그것이 내게 중요한 것은 아니다.

쫓겨난 노숙자는 술에 덜 깼다. 다짜고짜 다른 노숙자에게
시비를 걸며 말다툼을 하는 그의 모습에 나는 무표정하다.
나는 그다지 관심이 없다. 그들의 다툼은 나와 무관하다.
따듯한 커피를 마시고 종이컵을 버리고 갈 길을 떠난다.
내 이면에 존재하는 타인에 대한 무관심은 무표정이다.

거리에서

기차역 인근을 걷는다. 거리에 앉아 물건을 판매하는 할머니.
그러나 그것을 구입하는 사람은 거의 없다. 거리를 지나가는
사람들은 노인의 좌판대에 관심을 기울이지 않고 떠나간다.
그것은 나도 마찬가지다. 나는 그것에 아무런 관심이 없다.
할머니는 이내 울상을 짓지만 일말의 감정도 들지 않는다.

기차가 오기까지 아직 한참의 시간이 남았다. 기차역 인근의
거리를 걸으며 보내는 시간. 할머니는 물건을 판매하고 있다.
극소수의 사람만이 물건을 구입하지만 나는 무관심할 뿐이다.
누군가는 거리에서 물건을 파는 할머니가 불쌍하지도 않냐고
말하겠지만 그것은 나와 무관한 것이라서 신경 쓰지 않는다.

내 어두운 이면에 존재하는 것은 무관심인가? 스스로 묻는다.
자신의 생계를 위해 거리에서 물건을 파는 할머니의 모습에
동정심을 가지지 않는다. 타인을 향한 동정은 나에게 없다.
내 어두운 이면에 존재하는 것은 그런 것이다. 나는 단지
일말의 동정심도 가지지 않으려고 한다. 그게 최선이다.

자신의 생계를 위해 거리에서 물건을 파는 할머니의 모습에
안쓰러움을 느끼지만 동시에 동정심은 가지지 않는 것이다.
내 어두운 이면에 존재하는 것은 그런 것이다. 누군가에게
불쌍하게 느껴질 할머니의 모습에 나는 그저 무관심하다.
내 이면에는 타인을 향한 동정심은 존재하지 않는 것이다.

동정심

너는 동정심을 유발하려고 해. 불쌍한 척하며 도와달라는 말. 사실은 거짓된 연기라는 것을 알아. 네 어두운 이면에 있는 그것은 자신의 이익을 위한 탐욕이 존재해. 그래서 멀리해. 불쌍한 척하며 동정심을 유발하기 위한 연기를 하는 너에게 아무런 감정이 없어. 네 어두운 이면을 오래전부터 알았어.

너는 타인에게 동정심을 사려고 해. 네 이익을 위한 행동에 나는 실망했어. 너의 거짓된 연기를 보고 나는 실망을 했어. 싸구려 동정심. 그것은 아무런 의미가 없는 것에 불과하지. 내게 어떤 것도 기대하지 마. 내게 동정신은 부질없으니까. 내 이면에는 동정심 따위는 애초부터 존재하지 않는 거야.

불쌍한 척하지 마. 너는 전혀 불쌍하지 않아. 연기하지 마. 이미 네 속내를 훤히 아는 내게 그런 것은 부질없는 거야. 싸구려 동정심. 그런 것에 휘둘리지 않아. 내게는 덧없어. 마치 몹시 힘든 상황에 처한 것처럼 연기하는 그 거짓말. 내게 동정심을 기대하지 마. 그것은 아무런 의미가 없어.

내 어두운 이면에 존재하는 것. 타인에 대한 불신인 거야. 나는 너를 절대로 믿지 않아. 너는 힘든 것처럼 연기하네. 타인에 대한 불신이 발상해. 네 거짓된 연기를 보고 그저 깊은 한숨을 쉬어. 나는 너를 절대로 믿지 않아. 너에게 존재하는 어두운 이면은 자신의 이익을 위한 이기심이니.

연기

마치 연기자처럼 연기해. 속내를 감추고 다른 모습을 연기해.
너는 자신의 속내를 감추고 이익을 얻기까지 스스로 연기해.
마치 그것이 진짜 자신의 모습인 것처럼 연기하는 네 모습.
그것은 거짓이라는 것을 알지만 나는 그저 모르는 척해야지.
나와 무관한 것에 상관하지 않아. 그것은 내 일이 아니야.

자신의 안위를 지키기 위해서. 원하는 그것을 얻기 위해서는
기꺼이 자신의 속내를 감추하고 연기하는 너를 보고 침묵해.
사람은 누구나 이기적이라는 말에 공감해. 네 어두운 이면.
그곳에 존재하는 너 자신을 위한 이기심을 나는 알고 있어.
하지만 그것은 나와 무관한 것이기에 침묵하고 외면한 거야.

더 많은 이익을 얻기 위해서. 더 많은 것들을 가지기 위해서.
너는 평소와 다른 모습으로 상대를 대해. 이기심을 발휘하는
너는 그것을 얻기 위해서 이미지를 관리해. 연기력이 늘었네.
하지만 그것은 나와 무관한 것이기에 모른 척해. 내 이면에
존재하는 것은 무관심. 나와 관련이 없다면 그저 침묵하네.

너는 오직 너의 이익을 위해 연기해. 그것을 신경 쓰지 않아.
네 어두운 이면에 존재하는 이기심. 그러나 나와는 무관해.
타인이 입을 손해. 그것은 나와는 무관해. 내 어두운 이면.
그것은 나와 관련이 없다면 침묵하는 것. 누구나 이기적인
세상이라고 말하는데 나도 마찬가지. 단지 그럴 뿐이었어.

이중성

당신의 이중성에 쓴웃음을 지었지. 당신을 멀리하는 이유는
당신의 이중성 때문이지. 수시로 말을 바꾸는 당신의 모습.
당신의 본심이 무엇인지는 알지만 한순간의 이익을 위해서
이랬다저랬다하는 그 모습이 보기 싫어서 멀리하는 거야.
이중적인 당신의 태도가 보기 싫어서 나는 멀리하고 있어.

당신이 유리할 때면 갑질하려는 태도. 막상 불리한 상황에
처한다면 순식간에 말과 표정을 바꿔. 이중적인 말과 행동.
당신의 어두운 이면에 존재하는 그것은 절대 변하지 않아.
이중성을 가진 당신은 스스로 자각하지 못하는 것 같아.
자신이 했던 말을 기억하지 못하는 당신의 이중성이니까.

스스로 내뱉은 말을 자각하지 못해. 순간을 모면하기 위해
무의식적으로 내뱉은 말. 그러나 금세 잊어버리고 거짓말.
당신의 이중성은 그런 거야. 그래서 나는 당신을 멀리 해.
당신의 이중성을 알기에 그 어떤 말을 해도 믿을 수 없어.
이중적인 태도에 나는 질려서 절대로 가까이 하지 않아.

순간의 위기를 모면하기 위해 거짓말. 그것을 금세 잊고서
마치 처음부터 그랬던 것처럼 행동하는 당신의 이중적인
모습이 보기 싫어서 멀리 해. 당신의 이중적인 그 모습이
보기 싫어서 멀리 해. 당신을 가까이 할 이유는 없잖아.
당신의 이중성은 어두운 이면에 존재하는 천성인 듯해.

거짓말

수시로 말을 바꾸고 거짓말해. 순간을 모면하기 위한 거짓말.
수시로 표정을 바꾸고 거짓말해. 이 순간을 모면하기 위해서.
그래서 당신에게 신뢰는 존재하지 않아. 믿을 수 없는 당신.
무슨 말을 해도 믿기 어려운 당신은 거짓말쟁이에 불과하니
신뢰는 존재하기 어렵지. 그래서 당신을 가까이 하지 않아.

수시로 하는 거짓말. 거짓된 당신의 언행이 보기 싫은 마음에
나는 당신을 멀리 하네. 거짓말쟁이의 행동이 보기 싫은 거야.
어떤 말을 해도 믿을 수 없는 거짓말쟁이. 위기를 모면했지만
금세 잊어버린 거짓말은 다른 말로 바뀌고 말아. 거짓말이지.
당신이 내뱉은 말은 온통 거짓말이지. 도저히 믿을 수 없어.

당신의 어두운 이면은 거짓으로 점철된 거야. 거짓된 행동에
신뢰는 존재하지 않아. 무슨 말을 해도 믿기 어려운 당신은
절대로 믿을 수가 없어. 당신과 나의 거리는 가깝지가 않아.
수시로 하는 거짓말. 수시로 말을 바꾸는 거짓말쟁이에게
신뢰는 존재하지 않으니 나는 당신을 멀리하고 내 길을 가.

습관적인 거짓말. 수시로 하는 거짓말. 당신의 어두운 이면.
그것은 온통 거짓으로 점철되었으니 절대로 믿을 수가 없지.
그런 당신을 멀리하는 것은 당연해. 거짓말쟁이는 절대로
신뢰할 수 없으니 인연을 끊어. 당신과 인연은 여기까지야.
도무지 믿을 수 없는 거짓말쟁이와의 인연은 여기까지야.

탐욕

부와 명예를 원하고 바란다는 너는 정말로 그것을 가지려 해.
누구나 부와 명예를 원하지. 누구나 그것을 바라는 마음이야.
하지만 너의 탐욕을 지나쳤어. 그것을 가지기 위해서 지독히
이기적으로 행동하는 너는 타인에게 피해를 주며 살아가네.
그것이 네 어두운 이면이라면 어쩔 수 없겠지만 그냥 그래.

탐욕스러워. 모든 것을 소유하려는 너의 탐욕은 끝이 없어서
아무렇지도 않게 거짓말하며 타인의 것을 갈취하려고 노력해.
스스로 부와 명예를 얻기 위해 노력하지 않아. 탐욕스럽게
타인의 것을 노리는 너의 행동은 매우 이기적인 것이니까.
스스로 자각하지 못해. 그것이 당연하다고 말하는 너를 봐.

부와 명예를 가지기 위해서 타인의 것마저 욕심을 내는 네게
거리를 두고 어느새 손절했어. 네 어두운 이면에 탐욕스러운
모습을 발견하고 자연스레 멀어질 수밖에 없었지. 탐욕이야.
타인의 것마저 모두 차지하려는 너의 행동은 실망스러워서
손절할 수밖에 없었어. 너는 내가 가진 것마저 욕심을 부려.

너의 탐욕. 네 어두운 이면에 존재하는 탐욕은 끝이 없는 것.
더 많은 부와 명예를 위해 노력하는 것. 그것은 당연하지만
타인의 것마저 탐욕스럽게 가지려고 하는 네 행동을 본 후
네게 실망했어. 너의 탐욕은 네 어두운 이면에 존재하지만
눈에 훤히 보여. 그것이 우리가 멀어진 결정적인 계기야.

경제적 궁핍

경제적 궁핍으로 끼니를 거른다는 너는 울상 짖은 표정으로
내게 밥을 사달라고 하지. 안타까운 마음에 얼마의 돈을 줘.
고맙다고 말하는 네 눈빛이 수상해. 얼마 뒤 깨달은 사실.
너는 그런 식으로 쉽게 돈을 벌었다며 자랑하며 내 뒷담화.
당혹스럽네. 네 거짓말에 나는 차마 할 말을 잃고 말았어.

여러 사람에게 궁핍하다며 도와달라고 요구하는 너의 이면.
여러 사람에게 사정이 어렵다며 도와달라고 말하는 너에게
숨겨진 진실은 모든 것이 거짓말이라는 것. 어이가 없네.
너의 궁핍은 단지 욕심을 채우기 위한 거짓말인 것뿐이야.
사정이 어렵다는 말. 너는 거짓된 궁핍으로 거짓말했지.

경제적 궁핍으로 몹시 힘들다며 돈을 요구하는 네 모습에
숨겨진 어두운 이면. 그것은 그저 거짓말에 불과한 거야.
너는 전혀 어렵지 않지만 경제적으로 궁핍하다고 말하지.
네게 도움을 준 사람을 뒷담화하고 다니는.가벼운 입은
오히려 해가 되어 네게 돌아온다는 사실을 아직도 몰라.

네 어두운 이면에 존재하는 진실을 보고 헛웃음을 지었어.
네 어두운 이면에 존재하는 사실을 깨닫고 쓴웃음 지었어.
경제적 궁핍은 돈을 얻기 위한 허울뿐인 거짓말인 거야.
사실을 알게 된 후로 나는 너를 손절했어. 네 주변에는
하나둘씩 너를 손절하려는 사람만이 남아 혼자가 되겠지.

비밀

오래된 비밀은 어느새 옅어지고 희미하게 존재하는 것이지만
여전히 절대로 말하지 못해. 어두운 기억은 언제나 비밀처럼.
당신에게 말하지 못하는 비밀은 언제나 내 어두운 이면에서
존재하는 것. 그것을 말하기는 어려워. 나만 아는 비밀이야.
아무도 모르는 비밀은 영원히 혼자 간직하며 살아가야겠지.

어두운 기억은 비밀이야. 그 기억은 부정적 성향의 원인이지.
내 어두운 이면에 존재하는 사람에 대한 불신은 그 기억이지.
그러나 그 기억은 비밀이야. 오랜 세월 동안 나만 아는 것.
그것은 차마 말할 수가 없어. 오직 나만 아는 비밀이거든.
내가 사는 동안 타인에게 말하지 못하는 비밀은 그런 것.

아무도 모르는 비밀은 아무도 궁금해하지 않아. 어느 순간에
옅어지고 희미해지기 시작했지만 나는 그것은 침묵하고 말아.
어느새 희미해지고 사라질 기억이겠지만 영원한 비밀인 거야.
그러나 알고 있지. 내 어두운 이면에 존재하는 부정적 성향.
그것은 비밀 같은 기억으로부터 비롯된 것이라는 그 사실은.

이런다고 해서 달라지는 것은 아무것도 없겠지. 나의 비밀은
내가 사는 동안 침묵해야겠지. 그러나 이내 잊힐 것을 알아.
그러나 변하지 않는 것이 있어. 내 어두운 이면에 있는 것.
타인에 대한 불신은 내가 사는 동안 변하지 않을 것 같아.
그렇게 비밀은 사라지더라도 변하지 않는 어두운 이면이여.

누구나

누구나 자신의 어두운 이면을 드러내지 않아. 그건 비밀이야.
누구나 자신의 어두운 이면을 공개하지 않아. 그건 비밀이야.
굳이 말해야 하는 필요가 없는 어두운 이면은 언제나 비밀.
굳이 말하지 않아도 되는 어두운 이면은 비밀처럼 존재하네.
그건 나도 마찬기지지. 그래서 나는 어두운 이면을 침묵해.

내 어두운 이면은 비밀이야. 그것은 침묵을 통해서 숨겨왔지.
절대로 드러내지 않는 어두운 이면은 마치 비밀처럼 존재해.
그것을 타인에게 드러낼 이유는 존재하지 않아. 그건 비밀.
누구나 어두운 이면이 존재해. 누구나 그것을 말하지 않아.
나는 내 어두운 이면을 감춰. 타인이 그러는 것처럼 말이야.

서로가 서로의 어두운 이면을 절대로 쉽게 알지는 못하잖아.
내 어두운 이면은 당신이 알지 못하는 것. 그것은 비밀이야.
당신의 어두운 이면에 존재하는 것. 그것은 나도 모르겠어.
누구나 자신의 어두운 이면을 숨기면서 삶을 살아가겠지.
그리고 그것은 마치 비밀처럼 존재하며 숨기며 살아가네.

누구나 감추고 숨기려는 어두운 이면은 분명히 존재하는 것.
누구나 절대로 말하지 않으려는 어두운 이면은 존재하는 것.
서로가 서로에게 드러내지 않으려는 어두운 이면을 감추고
비밀처럼 숨겨. 나는 그렇게 살아가. 당신이 그런 것처럼.
누구나 자신의 어두운 이면을 비밀로 여기며 살아가는 것.

비밀

내 비밀은 당신과 무관하다. 그래서 끝내 알지 못할 것이다.
내 비밀은 그저 비밀이다. 그래서 끝내 말하지 못할 것이다.
내 어두운 이면에 존재하는 부정적이고 비밀은 단지 그렇다.
그것을 타인에게 말해야 하는 이유는 존재하지 않는 것이다.
그래서 비밀은 내가 사는 동안 언급하지 못할 비밀이 된다.

누구나 어두운 이면이 존재한다. 그것은 비밀처럼 존재한다.
누구나 자신의 어두운 이면을 숨기려고 한다. 차마 말하지
못하는 자신의 어두운 이면은 그렇게 비밀처럼 존재한다.
그것은 타인에게 말하지 못하는 비밀이다. 나도 그렇다.
내 어두운 이면에 감춰진 것. 그것은 비밀처럼 존재한다.

그것을 말해야 하는 이유는 없다. 나는 그것을 비밀로 한다.
그것은 차마 말하지 못하는 것이다. 나는 단지 비밀로 한다.
타인에게 드러낼 수 없는 내 어두운 이면은 그저 비밀이다.
누구나 비밀이 있는 것처럼 어두운 이면은 존재하는 것이다.
내가 사는 동안 절대로 말하지 못하는 비밀은 그런 것이다.

나는 침묵한다. 아무도 묻지 않았기에 나는 긴 침묵을 한다.
나는 침묵한다. 아무에게도 말하지 못하는 어두운 이면에
존재하는 그것은 내가 사는 동안 비밀처럼 존재하고 있다.
아무도 궁금해하지 않으며 아무에게도 말하지는 비밀이여.
그것은 내 어두운 이면에 숨겨진 영원한 비밀인 것이다.

숨겨진 이면

숨겨진 이면에 존재하는 그것은 어두운 곳에 숨겨진 것이다.
숨겨진 이면에 존재하는 그것은 차마 드러내지 못할 것이다.
누구나 어두운 이면이 존재한다. 그것은 때로는 추악하기에
끔찍한 악취를 풍긴다. 그래서 어두운 이면을 감추고 사는
인간은 모든 것을 드러낼 수 없는 존재가 되어 살아간다.

누구나 숨겨진 이면이 존재한다. 그것은 어두운 곳에 존재해
절대로 쉽게 파악할 수 있는 것이 아니다. 그것은 비밀처럼
존재하는 것이기에 숨겨진 이면은 절대 쉽게 알지 못한다.
그것은 자신에게 족쇄 같은 것이기에 차마 드러낼 수 없다.
그것은 드러내지 못하는 약점이라서 차마 드러낼 수 없다.

내게 숨겨진 이면은 추악한 것인지도 모른다. 나는 침묵한다.
내게 숨겨진 이면은 일종의 족쇄나 다름없다. 나는 침묵한다.
누구도 궁금해하지 않으며 누구도 알지 못하는 숨겨진 이면.
그것은 내가 살아가는 동안 절대로 언급하지 못하는 것이다.
내가 스스로 드러내기를 거부하는 숨겨진 이면은 그러하다.

나는 내 어두운 이면을 숨긴다. 당신이 그런 것처럼 숨긴 것.
숨겨진 이면은 절대로 드러내지 않는 것이 인간의 모습이다.
자신의 숨겨진 이면은 추악하고 끔찍한 악취를 풍기고 있다.
자신의 숨겨진 이면은 족쇄가 되어 자신을 붙자는 것이다.
자신의 숨겨진 이면은 여러 형태로 마음속에 숨기는 것이다.

악몽

마치 악몽 같았지. 그 시절은 내게 악몽 같은 기억인 거야.
마치 악몽 같았어. 그 시절은 악몽이나 다름없는 기억이야.
너는 아무렇지도 않게 장난이었다고 말하지만 그건 아니야.
내게는 악몽 같은 기억이 네게는 아무것도 아니라고 말해.
기억의 해석은 다르게 존재해. 이건 어쩔 수 없는 거야.

악몽 같던 시절의 기억은 불쾌해. 너는 그저 장난이었다고
말하지만 내게는 악몽이나 다름없었어. 아무것도 아니라며
여유로운 표정을 짓는 네 얼굴에 침을 뱉고 싶지만 인내해.
내 어두운 이면에 존재하는 감정. 그것을 애써 숨긴 거야.
네 어두운 이면에 존해자는 그것. 나는 이해할 수가 없어.

내 어두운 이면에 존재하는 분노와 원망은 곧 증오의 씨앗.
네 어두운 이면에 존재하는 것은 가장 순수한 악의에 속해.
서로 어두운 이면에 존재한다는 것을 알지만 이해는 못해.
그것이 너와 나의 근본적인 차이. 내게 악몽 같았던 기억.
너는 그저 장난이었다고 아무렇지도 행동하는 게 역겨워.

애써 드러내지 않는 혐오감. 애써 감추는 악감정을 숨기고
깊은 한숨을 쉬었지. 너는 정말 아무렇지도 않아 보이거든.
그것은 이미 오래전에 이야기라며 웃는 네 얼굴. 혐오감을
강하게 느끼지만 내 어두운 이면으로 숨겨. 순수한 악의.
그것이 네 어두운 이면에 존재한다는 것을 알지만 참아.

족쇄

내 어두운 이면에 존재하는 증오는 일종의 족쇄처럼 존재해.
당신을 향한 증오는 보이지 않는 이면에 존재하는 족쇄라서
절대 쉽게 사라지지 않겠지. 어쩌면 내가 사는 동안 존재할
증오심은 오래전부터 존재해왔어. 그것은 사라지지 않겠지.
보이지 않는 족쇄. 그것으로부터 나는 자유롭지 못하잖아.

내 어두운 이면에 존재하는 증오심. 그것은 마치 족쇄 같아.
내 마음을 불편하게 만드는 증오심. 그것은 당신을 향한 것.
어쩌면 내가 사는 동안 사라지지 않을 증오심은 족쇄 같아.
당신이 죽는다고 해도 사라지지 않을 것 같은 증오의 족쇄.
족쇄로부터 자유로워지고 싶어. 나는 자유를 희망하는 자.

보이지 않는 족쇄. 내 어두운 이면에 존재하는 증오의 족쇄.
그것은 어쩌면 내가 사는 동안 사라지지 않을 증오의 족쇄.
당신이 죽는다고 해도 달라지는 것은 없을지도 모를 증오.
당신을 향한 증오심은 일종의 족쇄처럼 내 안에 존재하네.
내 어두운 이면에 존재하는 증오심은 당신은 모르겠지만.

어쩌면 내가 사는 동안 사라지지 않을 족쇄로부터 자유롭길.
어쩌면 당신이 죽는다고 해도 사라지지 않을 증오라는 족쇄.
내 어두운 이면에 존재하는 족쇄는 쉽게 사라지지 않는 거야.
비로소 자유로워지기를 원하고 바래. 내가 바라는 소원은
이 족쇄로부터 온전히 자유로워는 것. 단지 그러기를 바래.

진정한 자유

당신은 진정한 자유를 얻었다며 몹시 기쁜 표정으로 웃는다.
당신은 그토록 원하던 부와 명예를 가졌다며 몹시 기뻐한다.
그러나 그것이 진정한 자유인가? 보이지 않는 족쇄를 보라.
잘못된 방식으로 취한 부와 명예는 당신의 족쇄가 되었다.
진정한 자유를 박탈을 당한지도 모르는 당신은 어리석다.

나는 보이지 않는 족쇄를 스스로 채우고 살아가는 당신에게
거리를 두고 있다. 잘못된 방식으로 부와 명예를 취한 당신.
당신은 크게 기뻐하며 진정한 자유를 누리며 산다고 말한다.
그러나 그것은 진정한 자유가 아니다. 부와 명예에 종속된
당신의 일상을 보라. 과연 그것이 진정한 자유가 맞을까?

지독히도 가난했던 그 시절의 당신과 지금의 당신의 모습은
그리 달라보이지 않는다. 가난이라는 족쇄에서 벗어났지만
다른 이름의 족쇄가 채워진 당신의 발은 그곳에 멈춰섰다.
당신은 진정한 자유를 누리지 못한다. 족쇄에 채워진 발은
과연 당신이 원하는 그 길을 걸어갈 수 있게 하는 것일까?

당신이 저지른 부정. 타인의 수근거림과 눈치를 받는 당신.
당신에게 묻고 싶다. 당신은 진정으로 자유로운 존재인가?
한순간에 많은 부와 명예를 얻는 당신은 진정으로 그런가?
당신이 말하는 진정한 자유는 부와 명예로부터 비롯되는가?
그러나 당신은 끝내 어떤 대답도 하지 못하고 끌려갔다.

악의

가장 순수한 악의를 품은 인간의 마음속 그림자는 어두워서
눈에 보이지 않는다. 가장 강렬한 악의를 품은 인간의 마음.
가장 순수한 악의를 품는 인간의 마음은 드러나지 않는 꽃.
그 꽃을 피운 인간은 향기처럼 느껴지는 악취를 품고 있다.
나는 보았다. 가장 순수한 악의를 품은 그림자의 뒷모습을.

그 무엇보다 순수하고 강렬한 악의는 마치 꽃처럼 피어난다.
그러나 가장 깊은 어둠 속에서 피어나는 악의의 꽃이 있다.
인간의 마음속에서 피어난 악의의 꽃은 무색무취의 꽃이다.
가장 순수한 악의를 품은 꽃은 순수하기에 보이지 않는다.
그러나 그 꽃은 언제나 인간을 향해 존재하는 순수함이다.

누구나 자신만의 악의의 꽃을 피운다. 가장 순수한 악의는
마음속에 씨앗을 심고 피어나는 꽃이기에 보이지 않는다.
악의의 꽃은 무색무취해서 결코 쉽게 보이지 않는 꽃이다.
인간에 의해, 인간을 위해, 인간을 위한 악의는 존재한다,
그것은 마음속에서 피어난 가장 순수한 꽃으로 존재한다.

가장 순수한 악의는 매우 긴 수명으로 우리에게 존재한다.
우리가 사는 동안 존재하게 될 악의는 마음속에 꽃피운다.
가장 순수한 악의는 마치 꽃처럼 피어나 언제나 존재한다.
악의의 꽃은 수많은 이름으로 불리지만 인간의 마음속에
사는 동안 존재하는 것이니 삶 속에서 존재하는 꽃이다.

이중적인

사람은 이중적이라는 말. 그건 너도 마찬가지라는 것 알잖아.
사람은 이중적이라는 말. 그건 나도 마찬가지라는 것을 알아.
누구나 이중적인 면모를 가지고 있어. 겉으로 티 내지 않아.
마음속에 품은 생각을 드러내지 않아. 애써 웃으며 연기해.
우리는 이중적인 면모를 가지고 있어. 누구나 그런 것처럼.

솔직히 말해서 나라고 다르지는 않아. 나도 이기적인 편이지.
욕심을 가지고 원하는 것을 가지기 위해 서슴없이 행동하네.
사람은 이중적이라고 말하며 한숨을 쉬는 너도 다르지 않아.
어차피 사람이 사는 모습은 크게 다르지 않아. 거기서 거기.
누구나 이중적인 면모를 가지고 있어. 누구나 이중적이야.

대놓고 드러내지 않지만 가지고 있는 이중적인 말과 행동은
인간의 본성인 건지도 모르겠어. 인간의 이중적인 본성이야.
자신의 이익을 취하려고 하면서 타인의 시선에 신경 쓰는
당신의 모습을 보았지. 이기적이지만 이타적으로 보이려는
이중적인 모습을 보았지만 나도 다르지 않다는 것을 알아.

사람은 원래 이중적이야. 누구나 그런 면모를 가지고 있어.
사람은 원래 이중적이야. 누구나 이중성을 감추며 살아가.
자신은 원래 이런 사람이 아니라고 말하지만 그런 사람이
맞다는 사실을 인지해. 나는 사람의 이중적인 모습을 봐.
그리고 나도 크게 다르지 않다는 사실을 인정하고 있어.

대화

대화를 통해 풀라는 말. 그러나 불통은 대화로 해결되지 않아.
대회를 통해 갈등을 풀리는 말. 그러나 불통은 불통일 뿐이야.
타인의 말을 듣지 않으려는 당신은 습관적으로 말을 끊으면서
경청하려는 태도를 보이지 않아. 이내 불통으로 이어지는 것.
어차피 당신은 내가 무슨 말을 해도 들으려고 하지 않으니.

불통으로 인한 단절. 대화는 시간 낭비일 뿐이라는 것을 알아.
더 이상 대화할 이유가 존재하지 않아. 불통은 해소되지 않아.
무슨 말을 해도 그게 아니라며서 가르치려는 당신의 태도에는
불통만이 존재해. 아무리 말해도 들으려고 하지 않는 태도에
이런 식의 대화는 아무런 의미가 없기에 가치가 없는 거야.

대화는 아무런 의미가 없어. 자기 말만 하려는 당신과의 대화.
수시로 말을 끊고 자기 말만 하려는 당신의 태도에 무감각해.
애초에 아무런 기대도 하지 않았어. 타인의 말을 듣지 않는
당신의 고압적인 태도는 과연 어디서 비롯된 것인지 모르지.
그러나 그것은 내가 상관할 일이 아니지. 내 알 바가 아냐.

대화는 끝났어. 이건 대화가 아니야. 불통은 길어지자 시간을
낭비하고 싶지 않아. 당신이 무슨 말을 해도 상관하지 않을래.
어차피 우리의 인연은 처음부터 절대로 맞지 않은 것뿐이라서
여기서 마무리해. 그래. 대화는 처음부터 이루어지지 않았어.
불통은 거듭되고 더 이상 아무런 의미도 존재하지는 않잖아.

여행자

이 길을 떠나는 여행자의 발걸음은 과연 어디서 끝이 나는가?
아무도 가지 않으려는 여행자의 목적지는 과연 어디인 걸까?
정처없이 떠나는 여행자의 방황의 끝는 나는 알 수가 없다.
기나긴 인생을 홀로 여행하는 자의 걸음은 멈추지 않는다.
나는 여행자의 뒷모습을 보며 따듯한 커피 한잔을 마신다.

끝없는 여행을 하는 그의 뒷모습을 바로보며 생각에 잠긴다.
그의 여행은 어디에서 시작되었으며 어디서 끝나는 걸까?
그가 떠난 자리는 아무것도 존재하지 않아 알 수가 없다.
인생이라는 기나긴 여정을 혼자 여행하는 자의 뒷모습.
그는 다시 돌아오지 않으리라. 그 방황의 끝은 없다.

여행자는 끝나지 않는 여행을 떠났다. 그가 떠난 자리에는
아무것도 남지 않는다. 그는 과연 어디로 떠나간 것일까?
끝없는 여행의 끝은 과연 존재하는가? 끝내 알 수 없는
그의 삶은 과연 어떠했으며 왜 홀로 여행을 떠나가는가
끝내 알 수 없는 그의 방랑은 끝이 보이지가 않는다.

그는 다시 돌아오지 않으리라. 그가 잠시 머무른 자리에는
어떤 것도 존재하지 않는다. 끝없이 방황하는 그의 걸음은
한 곳에 오래 머물지 않는다. 그렇게 떠나간 그의 행적은
끝내 알 수가 없겠지. 철저히 혼자 여행하는 그의 모습은
내가 사는 동안 다시 마주할 일 없는 찰나의 인연이겠지.

따듯한 커피

따듯한 커피를 천천히 마시며 회색빛 하늘을 바라보는 시간.
조금은 답답한 마음에 무언가 알 수 없는 감정이 느껴진다.
금방이라도 쏟아질 것 같는 빗방울. 나는 침묵을 지킨다.
오랜 시간 동안 혼자였던 나는 따듯한 커피를 마시면서
어떤 말도 하지 않는다. 침묵하는 시간은 점점 길어진다.

이윽고 조금씩 떨어지는 빗방울. 창문을 닫고 그저 멍하니
저 회색빛 하늘을 감상한다. 하염없이 쏟아지는 빗줄기에
알 수 없는 감정이 느껴진다. 이 감정은 과연 무엇일까?
무언가 익숙하면서도 익숙하지 않는 감정은 무엇일까?
알다가도 모를 감정에 나는 그저 멍하니 비를 감상한다.

따듯한 커피를 천천히 마시며 비 내리는 지금 이 순간을
그저 혼자 즐긴다. 나는 어떤 말도 할 수 없어 침묵한다.
나는 과연 무엇을 말을 하겠는가? 그저 침묵을 지킨다.
따듯한 커피를 천천히 마시며 내 침묵은 길어지고 있다.
그러나 그것이 무슨 소용이겠는가? 아무런 의미가 없다.

그 끝을 모르고 거세게 쏟아지는 빗줄기. 텅 빈 마음에
공허하다. 따듯한 커피를 마시지만 채워지지 않는 것은
감정만이 아니지만 나는 아무 말도 하기 싫어 침묵한다.
무엇이 어떻든 나와 무슨 상관이겠는가? 따듯힌 커피를
천천히 마신다. 비 내리는 이 순간은 시간은 길어진다.

고독

오랜 세월 혼자였던 내게 고독은 당연해. 익숙한 고독이야.
오랜 세월 혼자였던 내게 고독은 익숙해. 고독은 친구처럼
느껴지는 내게 왜 혼자 있냐고 묻지 않았으면 해. 나에게
인생은 언제나 혼자였고 그래서 고독은 늘 함께하는 것.
그것에 어떤 의미가 있다고 생각하지 않아. 그저 당연해.

오랜 세월 혼자였어. 이런 내게 고독은 당연해. 익숙해서
아무렇지도 않은 고독 속에서 나는 살아왔고 살아가거든.
그것에 의미를 부여하고 싶지 않아. 내게는 익숙한 감정.
내 안에 존재하는 감정은 당연하고 익숙한 것일 뿐이야.
고독하다고 나쁜 것은 아니지. 내게는 익숙한 것이니까.

내가 혼자라고 해서 그게 나쁘다고 말할 수 없어. 나에게
인생은 언제나 혼자였기 때문에 고독은 익숙한 것이니까.
내 안에 존재하는 고독은 오랜 세월 동안 존재한 것이고
그것을 탓하고 싶지 않아. 더 이상 무슨 말이 필요할까?
나는 고독하지만 그것이 나쁘다고 생각한 적은 없었어.

고독한 세월. 고독한 인생. 고독하지만 나는 익숙한 거야.
인생은 혼자라는 말에 공감해. 그런 내게 고독은 당연해.
더 이상 무슨 말이 필요하겠어? 고독으로 점철된 삶이야.
내 삶이 나쁘다고 말할 수 없어. 고독하지만 익숙한 것.
내 삶을 살아가는 것은 어디까지나 나 자신인 것이니까.

혼자

혼자라서 외롭다는 말. 나는 혼자이지만 외로움은 무뎌졌어.
혼자라서 외롭다는 말. 오랜 세월 혼자였기에 외롭진 않아.
무뎌진 감정. 외로움이라는 감정은 오래전부터 무덤덤해서
그것 때문에 흔들리지 않아. 단지 혼자 있는 것이 친숙해.
외로움보다 고독이 훨씬 익숙해서 그런 것일까? 모르겠어.

혼자라는 말. 혼자 있기에 외롭다는 말. 나는 알지 못하네.
사람은 원래 혼자야. 사람은 수많은 관계 속에서도 외로워.
사는 동안 수많은 관계르 형성하고 살아가겠지만 결국에는
혼자 남는 것이 사람이거든. 그렇기에 나는 무덤덤한 거야.
나는 고독에 익숙해. 하지만 무덤덤하게 고독을 받아들여.

사람은 혼자야. 끝내 혼자 남겨지는 것이 사람의 인생이라
고독은 당연해. 원래 혼자였던 내게 고독이란 당연한 감정.
그것 때문에 흔들리지는 않아. 오랜 세월 동안 혼자였기에
고독이 익숙한 나는 무덤덤해. 더 이상 무슨 말이 필요해?
내게는 익숙한 고독은 아무렇지도 않아. 단지 그런 거야.

나는 오랜 세월 동안 혼자였지. 사람은 관계를 형성하지만
끝내 혼자 남는 것이 당연해. 고독으로 점철된 내 삶 속에
나는 아무렇지도 않아. 사람은 원래 혼자야. 고독하지만
그것이 내게 특별한 것은 아니야. 고독한 삶을 살아왔던
내게 고독은 어떤 의미를 가지고 특별한 것은 아니거든.

빗소리

창문 너머 빗소리에 젖는다. 따듯한 커피를 천천히 마신다.
빗소리에 나는 그저 가만히 앉는다. 천천히 흐르는 시계는
조금씩 생명력을 잃어가는 것일까? 아니면 내 생각인 걸까?
지독히도 고독한 이 순간에 시계는 느리게 흘러가고 있고
나는 그저 따듯한 커피를 천천히 마신다. 시간은 흐른다.

내 안에 존재하는 고독은 오랜 세월 동안 함께한 감정이다.
빗소리에 젖는 이 순간의 고독은 오랜 세월 동안 함께했다.
빗소리에 젖어드는 고독은 내 일부가 되어 존재하는구나.
고독한 이 시간은 유독 느리게 흘러가는구나. 고독하다.
지독히도 고독한 이 시간은 평소보다 더디게 흘러간다.

따듯한 커피를 천천히 마시며 빗소리를 듣는다. 고독이란
감정은 오랫동안 함께였기에 익숙하지만 동시에 씁쓸하다.
고독을 애써 아무렇지도 않게 대하지만 씁쓸한 감정으로
빗소리를 듣는다. 따듯한 커피는 짙고 깊은 쓸쓸함이다.
나는 빗소리를 들으며 느리게 흘러가는 시간 속에 있다.

익숙한 고독이여. 오랜 세월 동안 내 안에 있던 고독이여.
남에게 드러내지 않는 고독은 언제나 내 안에 존재한다.
오랜 세월 동안 고독했기에 익숙하지만 빗소리를 듣는
이 순간은 씁쓸하다. 평소보다 느리게 흘러가는 시계.
이 시간은 쓸쓸한 고독이 느껴져서 마음이 답답하다.

침묵

사람은 누구나 어두운 이면이 있다. 그것을 알기에 침묵한다.
사람은 자신의 어두운 이면을 감춘다. 그건 나도 마찬가지다.
누구나 자신의 어두운 이면을 드러내려고 하지 않는 것이다.
그것은 일종의 비밀처럼 존재하는 것이다. 나는 침묵한다.
내 어두운 이면을 알기에 타인의 어두운 이면도 존재하겠지.

나는 침묵한다. 타인의 어두운 이면을 목격했지만 침묵한다.
나도 어두운 이면이 있기에 타인의 어두운 이면도 이해한다.
나라고 타인과 무엇이 다르겠는가? 우리는 같은 사람이라서
누구나 어두운 이면이 존재한다. 그것은 마치 비밀과 같다.
스스로 어두운 이면을 감추려는 것. 그건 나도 마찬가지다.

부정적인 이면. 그것은 굳이 타인에게 드러낼 필요는 없다.
부정적인 이면. 그것은 내가 굳이 알려고 할 필요도 없다.
나는 내 어두운 이면을 알지만 굳이 언급하지 않는 것처럼
타인의 어두운 이면을 알아내려고 하지 않는다. 누군가의
어두운 이면을 알게 된다고 해도 그것은 당신의 것이다.

나는 침묵한다. 누구나 어두운 이면이 존재하기 마련이다.
그것을 굳이 알려고 하지 않는다. 그것은 비밀과 같아서
굳이 언급하지 않는다. 그것을 굳이 알려고 하지 않는다.
누구나 자신의 어두운 이면을 비밀로 한다. 나도 그렇다.
자신이 감추고자 하는 어두운 이면. 나는 그저 침묵한다.

내 이면

내 이면에 존재하는 것. 그것을 자각한 후로 나는 침묵했다.
내 어두운 이면을 보고 침묵한다. 그것은 드러낼 수가 없다.
내 이면은 어두운 것이다. 그것은 타인에게 말할 수가 없다.
누구나 자신의 이면이 존재한다. 그것을 자각한다면 어느새
비밀이 되어 존재하는 것이다. 내 이면은 그런 것에 속한다.

나는 당신의 어두운 이면을 발견했다. 자각하지 못하는 것은
내가 어쩌지 못하는 것이다. 당신의 어두운 이면을 스스로가
자각하지 못하는 것은 나와 무관한다. 그래서 나는 침묵한다.
누구나 자신의 어두운 이면을 아는 것은 아니다. 그렇지만
내가 당신에게 그것을 말할 필요는 없기에 침묵을 지킨다.

나는 내 어두운 이면을 자각했다. 그것은 비밀처럼 유지된다.
나는 내 어두운 이면을 자각했다. 차마 말하지 못하는 이면.
내 어두운 이면은 타인에게 함부로 말하지 못하는 것이라서
나는 침묵한다. 내 이면을 누가 알까 두려워서 침묵한다.
내 어두운 이면은 사는 동안 절대 드러내지 않을 비밀이다.

사람은 누구나 어두운 이면이 있다. 그건 자연스러운 것이다.
나는 나의 어두운 이면을 알기에 침묵한다. 누구나 그렇다.
어두운 이면은 어두운 이면이기에 침묵하며 비밀로 한다.
누구나 자신의 이면을 드러내려고 하지 않는다. 나의 이면.
그것은 내 이면이기에 함부로 드러낼 수 없는 비밀이다.

어두운 이면

누구나 어두운 이면이 있다. 누구나 어두운 이면이 존재한다.
나는 어두운 이면을 보았다. 타인에게는 추악할 나의 이면은
절대로 드러내지 않을 것이다. 그것은 당신도 마찬가지겠지.
누구나 어두운 이면이 존재한다. 그것은 드러나지 않는다.
타인에게는 추악하고 더러운 어두운 이면은 그런 것이다.

누구나 어두운 이면에 존재한다. 그것은 차마 밝히지 못한다.
나는 내 어두운 이면을 발설하지 않는다. 그것은 사는 동안
타인에게 절대로 말하지 못하는 비밀이다. 내 어두운 이면은
절대로 드러내지 않는다. 본능적으로 어두운 이면을 숨긴다.
자신의 어두운 이면은 그렇게 감추면서 살아가는 것이다.

사람의 속내는 알 수 없다. 그것은 절대로 쉽게 알지 못한다.
누구나 어두운 이면에 존재하기에 마음을 드러내지 않는다.
자신의 어두운 이면은 비밀 같은 것이다. 내 어두운 이면을
당신에게 말할 수 없다. 당신의 어두운 이면은 나는 모른다.
서로가 말하지 못하고 알 수 없는 어두운 이면은 비밀이다.

누구나 어두운 이면이 존재한다. 그것은 내 어두운 이면이다.
오직 자기 자신만이 아는 어두운 이면은 감춰진 비밀이라서
타인에게 드러내지 못하는 것이다. 내 어두운 이면은 오직
내게만 존재하는 것이며 사는 동안 드러내지 않을 것이다.
타인이 그런 것처럼 나는 어두운 이면을 드러내지 않는다.